GUIDE DE SURVIE À L'USAGE DES QUARANTE ANS ET PLUS

Denis Lapointe

GUIDE DE SURVIE À L'USAGE DES QUARANTE ANS ET PLUS

Les réponses aux préoccupations
juridiques, financières et successorales
à l'approche de la retraite

CARTE **BLANCHE**

Maquette de la couverture : Gianni Caccia

Les Éditions Carte blanche
1209, avenue Bernard Ouest
Bureau 200
Outremont (Québec)
H2V 1V7
Téléphone : (514) 276-1298
Télécopieur : (514) 276-1349

Distribution au Canada
Fides
165, rue Deslauriers
Saint-Laurent (Québec)
H4N 2S4
Téléphone : (514) 745-4290
Télécopieur : (514) 745-4299

Dépôt légal : 4e trimestre 1998
Bibliothèque nationale du Québec
ISBN 2-922291-15-4

AVERTISSEMENT

Cet ouvrage a été rédigé à partir d'informations provenant de sources sûres. Toutefois, les renseignements que vous y trouverez ne doivent pas être considérés comme des conseils d'ordre juridique, fiscal ou professionnel. Le lecteur est prié de consulter son conseiller juridique ou fiscal avant de prendre toute décision. L'auteur et l'éditeur déclinent toute responsabilité quant à tout geste que le lecteur pourrait faire suite à la lecture de ce livre.

AVANT-PROPOS

Les baby-boomers qu'on qualifiait, il n'y a pas si longtemps, d'insouciants commencent à se préoccuper sérieusement de leur avenir. Ce groupe de personnes, nées entre 1947 et 1966, totalisant près de 10 millions de Canadiens, s'est tourné vers une nouvelle idéologie : l'épargne-retraite. D'emprunteurs qu'ils étaient, les voilà maintenant devenus épargnants. Ils amassent avec détermination leurs sous en prévision d'une retraite dont ils doutent de plus en plus qu'elle sera dorée. Mais ont-ils raison de vivre tant d'angoisse ?

On estime que le nombre de personnes âgées doublera au Canada d'ici 30 ans : en 2030, on en comptera 8,8 millions contre seulement 3,7 millions aujourd'hui. Au cours des dix prochaines années, il y aura encore cinq Canadiens pour subvenir aux besoins de chaque personne âgée de 65 ans et plus. En 2030, il n'y en aura plus que trois. Pas étonnant que nos baby-boomers, au seuil de la retraite, s'inquiètent de leur avenir financier. Les premiers d'entre eux viennent à peine de franchir le cap de la cinquantaine que le système social, qu'autrefois on tenait pour acquis, montre déjà des signes d'essoufflement évident.

Le gouvernement fédéral, préoccupé par le financement de nos régimes publics, commence à prendre des mesures. Voilà qu'il nous annonce dans un premier temps que l'époque de la pension de vieillesse pour tous est révolue. Il met sur pied le système de Prestation aux aînés qui est destiné à remplacer les régimes actuels de la Sécurité de la vieillesse et du Supplément au revenu garanti et il nous promet que le système entrera en vigueur en 2001. Du même coup, il nous informe que les crédits fédéraux d'impôt reliés à l'âge et aux revenus de retraite ne seront alors plus disponibles. Les personnes âgées vivant seules, dont le revenu provenant d'autres sources que leur pension de vieillesse excédera 52 000 $, se verront privées de toute prestation. Pour les couples, la limite a été fixée à 78 000 $. Ceux qui disposeront de revenus inférieurs verront leur prestation réduite et ce, à partir du premier dollar gagné. Bien sûr, nous pouvons nous consoler en nous disant que les plus démunis auront tout de même accès à un revenu qui ne sera pas imposable et qui pourra atteindre 11 420 $ dans le cas d'une personne seule et 18 440 $ dans le cas d'un couple. Mais pendant combien de temps encore pourrons-nous nous permettre de conserver un tel filet de sécurité ? Ces mesures seront-elles suffisantes pour garantir la survie de notre régime public de pension ?

Puis, coup de théâtre ! Craignant possiblement les impacts négatifs de ce projet sur son avenir politique, le ministre Paul Martin nous annonce au cours de l'été, qu'il revient sur sa décision et que le système, tel que conçu, n'entrera pas en vigueur comme prévu en 2001. Personnellement je pense que le projet n'a pas été abandonné mais que son application a tout simplement été reportée après les prochaines élections. Peut-être sera-t-il passablement modifié ? Ce dont on est certain cependant, c'est que les revenus des retraités constitueront une cible de choix pour les prochaines ponctions fiscales du fédéral.

Le gouvernement québécois commence également à douter de sa capacité à financer et garantir l'avenir du Régime de rentes à long terme pour tous les Québécois. Il craint, et pour cause, que les générations futures ne soient pas capables de financer le régime actuel. C'est pour cette raison qu'il nous annonçait, le 10 décembre 1997, par la voie de la ministre Louise Harel, l'adoption de la loi portant sur la réforme du Régime de rentes du Québec. Cette loi prévoit tout un train de mesures destinées à préserver l'intégrité du régime. On a voulu, entre autres, augmenter sensiblement les entrées de fonds, pour accroître les réserves du régime qui s'épuisent, au moyen de trois modifications importantes :

- accélération de l'augmentation du taux de cotisation jusqu'en 2003 ;
- fin de l'indexation du seuil minimal non sujet à cotisation ;
- obligation pour tous les travailleurs, peu importe leur âge, de cotiser au régime. Avant la réforme, ceux qui atteignaient 70 ans en étaient dispensés.

Le gouvernement nous dit qu'il va suivre de près l'évolution du Régime de rentes au cours des prochaines années. Les baby-boomers peuvent-ils vraiment lui faire confiance ? Toucheront-ils, à 60 ou 65 ans, des prestations similaires à celles que l'on connaît actuellement?

Que dire de notre système de soins de santé qui commence à craquer de partout ! On éprouve déjà de la difficulté à assurer des soins de qualité aux personnes âgées dans le système actuel. Que ferons-nous lorsqu'il y en aura deux fois plus ? Depuis quelque temps, il ne se passe pas une semaine sans qu'on nous montre au petit écran des situations désolantes qui découlent du manque de ressources financières disponibles dans le système de santé. Au moment d'écrire ces lignes, on nous annonce un vent de désengagement des ophtalmologistes qui se désenregistrent de la Régie de l'assurance-maladie du Québec pour obtenir des conditions de travail acceptables et pour répondre aux besoins de leurs patients. Plusieurs d'entre eux préfèrent débourser jusqu'à 2400 $ pour une opération de la cataracte afin d'éviter des délais d'environ un an pour ce type d'intervention. De plus en plus de cliniques médicales privées offrent des services accélérés ou particuliers à ceux qui sont prêts à ouvrir leur portefeuille. Lorsqu'on sait que plus de 75% des soins médico-hospitaliers sont consommés par des personnes âgées de plus de 65 ans, il y a de quoi craindre le pire en pensant à ce qui attend demain les baby-boomers.

Jusqu'à présent, nous avons disposé d'un système public de santé qui faisait l'envie de plusieurs pays. Cependant, notre étoile semble pâlir à un rythme effréné. Qui oserait prétendre que le geste des ophtalmologistes ne sera pas suivi par d'autres spécialistes ? Qui nous dit que nos médecins de famille n'emboîteront pas le pas lorsque la pression sera insoutenable ? Qui peut me dire combien il nous en coûtera pour recevoir des soins de santé dans 25 ans ?

Sans vouloir faire preuve d'un alarmisme exagéré, j'estime que les baby-boomers ont d'excellentes raisons de se questionner sur leur avenir et de vouloir dès à présent prendre les moyens pour s'assurer d'une retraite confortable.

Dans un futur plus lointain mais qui viendra toujours trop vite, la génération du baby-boom devra faire face à sa propre fin et à la transmission de ses biens à la génération suivante. Malheureusement, un règlement de succession efficace ne se fait pas sans une planification rigoureuse de ses affaires. C'est alors qu'interviennent les questions de testament et de planification successorale.

Mettre de l'ordre dans ses affaires exige du temps et des connaissances. Mais c'est essentiel pour qui veut garantir à ses proches et à lui-même une tranquillité d'esprit et pour qui veut s'assurer que la transmission de ses biens au décès se fasse dans l'ordre et sans délai, ni frais ou impôts inutiles.

Les impératifs sont donc suffisamment importants pour que dès à présent les retraités et futurs retraités prennent leurs finances en main et s'intéressent sérieusement aux questions abordées dans ce guide. Étant donné la complexité de nos lois fiscales et de l'environnement juridique dans lequel nous évoluons, la planification fiscale et successorale est devenue une nécessité pour chacun d'entre nous, peu importe notre niveau de richesse.

La démarche proposée est sommairement la suivante:

1. Protéger son patrimoine en prenant certaines mesures telles que la préparation d'un mandat en cas d'inaptitude et le recours à l'assurance-vie pour assurer le bien-être matériel de sa famille advenant un décès prématuré.

2. Réduire l'érosion de ses actifs par l'impôt en ayant recours à certaines techniques de fractionnement de revenus.

3. Assurer au moyen d'un testament la transmission de ses biens aux personnes de son choix en réduisant le plus possible les charges fiscales au décès.

4. Évaluer adéquatement le fardeau fiscal auquel le défunt, sa succession et ses héritiers auront à faire face

et prendre les dispositions nécessaires pour éliminer, diminuer ou retarder le paiement de certains impôts. Au besoin, planifier l'achat d'une assurance-vie pour combler une diminution de valeur de son patrimoine au décès en raison de charges fiscales excessives.

Bref, je vous convie à entrer dans le monde complexe, mais fascinant, de la planification financière et successorale.

J'ai tenté d'utiliser des exemples simples pour illustrer des concepts parfois très techniques. J'espère que la lecture de cet ouvrage vous incitera à poursuivre plus avant votre démarche et à recourir aux services de professionnels compétents: notaires, comptables, fiscalistes, planificateurs financiers et conseillers en placement.

Ce livre est destiné au grand public. Il n'a pour but que d'initier et d'intéresser chacun d'entre vous aux diverses questions touchant la planification fiscale et successorale. Il ne s'agit pas d'un guide fiscal ni d'un traité de droit mais plutôt d'un ouvrage de vulgarisation. La mise en application de l'une ou l'autre des stratégies évoquées nécessite le recours à un professionnel qui saura identifier vos besoins et « ajuster » la technique proposée en fonction de vos intérêts.

L'auteur vous souhaite donc une bonne lecture et la plus belle des retraites!

REMERCIEMENTS

On n'est jamais vraiment pleinement conscient des engagements que l'on prend lorsqu'on décide de s'aventurer dans la rédaction d'un ouvrage comme celui-ci. Parfois, en cours de réalisation, on se demande si le projet n'était pas trop ambitieux et il nous arrive même de craindre de ne pouvoir le mener à terme. Fort heureusement, il y a des gens dans notre entourage qui nous soutiennent et qui nous fournissent les éléments de motivation nécessaires pour poursuivre notre travail.

Je voudrais donc souligner l'apport de certaines de ces personnes qui ont été essentielles à la réussite du projet. D'abord, j'éprouve une profonde gratitude envers Hélène Rudel-Tessier et Michel Rudel-Tessier des Éditions Carte blanche qui m'ont vraiment donné le goût de réaliser cet ouvrage. L'excellence de leur travail lors de l'édition de mon premier livre, *Les REER*, m'a encouragé à récidiver et à me lancer dans cette nouvelle aventure. Le professionnalisme, l'enthousiasme et la grande disponibilité de tous les membres de l'équipe qui ont participé à la révision, la rédaction et la confection du livre méritent d'être soulignés.

Je tiens également à remercier Joceline Garand Belhumeur de la firme de comptables agréés Girard & Associés de Montréal, qui a vérifié avec minutie les données fiscales du présent ouvrage. Les informations d'ordre juridiques ont été également validées grâce à la généreuse contribution d'un certain nombre de confrères qui ont accepté de lire certains chapitres et de me transmettre leurs commentaires fort appréciés. Je voudrais tout particulièrement souligner l'apport de Mᵉ Raymond-Pierre Gingras, notaire à Warwick, Mᵉ Marc Gauthier, notaire à Chibougamau, Mᵉ Denise Courtemanche, notaire à Montréal et Mᵉ Gaétan Poulin, notaire à Sept-Îles.

Finalement, je veux remercier ma conjointe, Odette Viau, qui a su, par son amour et son soutien indéfectible, calmer à l'occasion mes angoisses et ranimer à d'autres moments mon enthousiasme pour la poursuite de ce projet. Je la remercie également d'avoir consacré autant d'énergie à la saisie du texte et pour ses judicieux conseils qui ont permis d'enrichir le contenu du livre ou sa présentation. Enfin, un dernier remerciement à mes deux fils, Julien et Laurent, qui me comblent de bonheur et avec qui j'ai hâte de pouvoir partager plus de temps que ce que les derniers moments de la réalisation de cet ouvrage m'ont permis.

DÉCÉDER SANS TESTAMENT : PENSEZ-Y BIEN

«J'ai déchiré le testament que je venais d'écrire,
il faisait tant d'heureux que j'en serais arrivé
à me tuer pour ne pas trop les faire attendre.»

SACHA GUITRY

Plusieurs parmi nous ont tendance à reporter constamment à plus tard la rédaction d'un testament. En fait, selon certaines données statistiques, près de la moitié des Canadiens n'auraient pas encore fait de testament. Cela m'apparaît assez inquiétant lorsqu'on prend en compte les conséquences de cette négligence sur le plan légal.

Les causes de ce désintérêt m'apparaissent multiples. D'abord, certains sont superstitieux et croient que le fait de rédiger leur testament va hâter l'arrivée de leur dernière heure! Pourtant, certains de mes clients ont modifié et refait leur testament à de nombreuses reprises et ils sont dans une forme splendide! D'autres se disent qu'ils sont beaucoup trop jeunes pour penser à cela et que la mort ne guette que leurs voisins. Certains ignorent tout de ce qui va se produire avec leurs biens après leur décès et n'éprouvent aucune curiosité à cet égard. D'autres enfin, et ils sont nombreux, ont une confiance aveugle envers le législateur québécois et pensent que ce dernier a tout prévu et que leurs biens seront répartis selon leurs désirs sans qu'ils n'aient besoin de coucher sur papier leurs dernières volontés. Malheureusement, comme nous allons le voir, le Code civil du Québec leur réserve bien souvent de fort mauvaises surprises.

Lorsqu'une personne décède sans testament, nous sommes en présence d'une succession «ab intestat». Le défunt n'ayant pas réglé la dévolution de ses biens par testament, c'est la loi qui devra y voir de manière supplétive. Le Code civil du Québec a donc un certain nombre de dispositions qui stipulent de quelle manière et à qui les biens d'une personne décédée seront transmis lorsque cette dernière n'a pas pris soin d'indiquer sa volonté par des dispositions testamentaires écrites.

Il se pourrait également que l'on doive recourir à des dispositions légales pour déterminer quelle personne sera héritière de certains biens, en particulier lorsque le testament est incomplet. À titre d'exemple, un testament qui stipulerait que vous léguez votre maison et vos comptes bancaires à votre épouse ne serait pas suffisant si vous déteniez d'autres actifs. Advenant votre décès, on serait alors en présence d'une succession testamentaire pour les biens énumérés au testament et en présence d'une succession «ab intestat» quant au reste. Nous devrions également faire appel aux dispositions du Code civil du Québec si les légataires nommés au testament sont décédés et qu'on n'a pas prévu cette situation. Ainsi, si je lègue tous mes biens à mes deux amis, Robert et Jean-Claude, et que ces derniers meurent avant moi, nous serons encore une fois en présence d'une succession «ab intestat». En conséquence, les biens qu'une personne laisse à son décès sans en avoir nommé l'héritier ou ceux à l'égard desquels les dispositions testamentaires sont privées d'effet font également partie d'une succession «ab intestat».

LES CONCEPTIONS ERRONÉES

Avant d'aller plus loin dans l'étude des règles de dévolution successorale prévues par la loi, voyons d'abord à rectifier trois fausses conceptions généralement répandues.

APRÈS UN CERTAIN TEMPS, CONJOINT DE FAIT = CONJOINT MARIÉ

Aucune disposition du Code civil du Québec ne reconnaît le conjoint de fait. Vous pouvez partager la vie d'une personne du sexe opposé pendant 1 an, 5 ans, voire 10 ans et jamais vous ne serez assujetti aux obligations des conjoints mariés stipulées au Code civil du Québec, pas plus que vous ne pourrez bénéficier des droits qui y sont établis en faveur des gens mariés. En conséquence, lors de la dissolution de votre union, par décès ou autrement, votre conjoint de fait ne pourra prétendre à aucun droit sur vos biens. De même lors d'une séparation, il ne pourra pas réclamer de pension alimentaire pour lui-même. Si vous mourez, il ne sera pas reconnu par le Code civil du Québec comme faisant partie de vos successibles, c'est-à-dire qu'il ne pourra jamais hériter de vos biens si vous n'avez pas pris soin de rédiger un testament. Rappelez-vous donc que tout au long de cet ouvrage lorsqu'il sera question de l'application des règles du Code civil du Québec, le terme «conjoints» s'appliquera limitativement aux «époux unis par les liens du mariage».

Ce qui a contribué à semer cette confusion, c'est que depuis un certain nombre d'années, plusieurs lois sociales ont reconnu les conjoints de fait et les ont assimilés aux conjoints mariés dans certaines circonstances. Ces lois ont accordé aux conjoints de fait qui répondent à certains critères les droits et obligations qui, autrefois, étaient réservés aux couples mariés légalement. Ainsi, on retrouve dans les lois suivantes certaines dispositions qui reconnaissent à certains égards les conjoints qui vivent une union de fait:

- Loi sur la sécurité du revenu;
- Loi sur les allocations d'aide aux familles;
- Loi sur l'assurance-automobile;
- Loi sur les accidents de travail et les maladies professionnelles;
- Loi sur l'indemnisation des victimes d'actes criminels;
- Loi sur l'aide juridique;
- Loi sur la sécurité de la vieillesse;
- Loi sur le régime de rentes du Québec.

Cette liste ne se veut pas exhaustive, car plusieurs autres lois, peut-être moins connues, peuvent également accorder une certaine reconnaissance aux conjoints qui ont opté pour l'union libre.

Retenons également que depuis le 1er janvier 1993, le terme «conjoint», aux fins de l'application des lois fiscales au Canada, désigne tant les conjoints mariés que les personnes de sexe opposé qui, sans être mariées, répondent à l'une des conditions suivantes:

- elles vivent en union de fait et elles sont les parents naturels ou adoptifs d'un même enfant; ou

- elles vivent en union de fait depuis au moins 12 mois, ou elles ont déjà vécu en union de fait pendant au moins 12 mois sans interruption.

▶ **EXEMPLE**

Michel et Josiane, deux célibataires sans enfant, vivent ensemble depuis trois mois. En fait, ils se sont réconciliés puisqu'ils avaient décidé de se séparer en janvier 1995, après une période de 15 mois de vie commune. Étant donné qu'ils ont déjà vécu ensemble pendant une période de plus de 12 mois, ils sont considérés comme des « conjoints » sur le plan fiscal même s'ils n'ont repris la vie commune que depuis quelques mois.

De plus, retenons que l'on considère qu'il y a interruption de l'union seulement lorsque la période de séparation excède 90 jours. Si elle est inférieure à ce délai, les personnes concernées sont présumées n'avoir jamais cessé de faire vie commune.

Voilà une première mise au point qu'il m'apparaissait essentiel d'inscrire au début de cet ouvrage pour la bonne compréhension du texte qui suit. Rappelez-vous donc toujours que le terme «conjoint» n'a pas du tout le même sens dans la Loi de l'impôt sur le revenu ou dans la Loi sur les impôts que dans le Code civil du Québec. De même, lorsque l'on désire appliquer une loi particulière il y a lieu de recourir à la définition du terme figurant dans le texte de la loi concernée pour déterminer dans quelle mesure les conjoints de fait sont également affectés par ses dispositions.

LORSQU'UNE PERSONNE DÉCÈDE SANS TESTAMENT, C'EST L'ÉTAT QUI S'EMPARE DE SES BIENS

Sachez que le gouvernement ne sera bénéficiaire de la succession d'une personne décédée que lorsque cette dernière décédera sans testament et sans famille. La succession pourra également échoir à l'État si tous les successibles, c'est-à-dire tous ceux qui légalement auraient pu hériter des biens du défunt, ont renoncé à la succession ou qu'aucun d'entre eux n'est connu ou ne se manifeste dans les six mois suivant le décès. Dans un tel cas où l'État se verrait saisi de la succession d'une personne décédée, c'est en fait le Curateur public du Québec qui prendra possession des biens et qui verra à acquitter les dettes de la succession jusqu'à concurrence des valeurs qu'il aura réalisées. Dès qu'il se sera écoulé une période de 10 ans depuis l'ouverture de la succession, les biens détenus par le Curateur public du Québec seront remis à l'État et les droits éventuels de tout successible à l'encontre de la succession, seront alors anéantis.

Retenez également qu'une personne ne sera réputée décédée sans famille que lorsque aucun parent des groupes suivants ne sera appelé à sa succession : conjoint marié, descendants (enfants, petits-enfants, arrière-petits-enfants, etc.), ascendants (père, mère, grand-père, grand-mère, etc.), collatéraux (frères, sœurs, neveux, nièces, oncles, tantes, cousins, cousines, etc.). En fait, l'État ne sera toujours qu'un «héritier de dernier recours».

SI JE SUIS MARIÉ, MON CONJOINT HÉRITERA DE TOUS MES BIENS À MON DÉCÈS

Oui, effectivement, mais en autant que je n'aie laissé aucun descendant, aucun ascendant et aucun collatéral privilégié (frère, sœur, nièce, neveu). Nous sommes donc parfois forcés de constater que les situations où le conjoint se voit obligé de partager la succession du défunt avec d'autres héritiers sont beaucoup plus fréquentes en pratique que celles où il se voit seul investi de tous les droits de propriété sur les biens laissés par son conjoint. Nous allons même constater plus loin que le conjoint appelé à partager le patrimoine d'un défunt avec d'autres membres de la famille ne reçoit pas toujours la part la plus importante de la succession.

Voyons donc maintenant ce qui se produit lorsque vous décédez sans testament.

LES HÉRITIERS LÉGAUX

De manière générale, le Code civil du Québec favorise les plus proches parents comme successibles, au détriment de ceux qui ont un lien plus éloigné avec le défunt. C'est ainsi que le degré de parenté entre deux personnes jouera un rôle important dans la détermination de ceux qui, à l'intérieur d'une même famille, auront priorité. Chaque génération constituera donc un degré différent par rapport au défunt.

De plus, le Code civil du Québec a également recours à un autre type de classification qu'il appelle des «ordres de succession». Enfin, à l'intérieur d'un ordre, il peut y avoir des sous-ordres. Voyons donc brièvement quelles sont ces classes de successibles qui sont reconnues par la loi.

DESCENDANTS

Comprend les personnes qui descendent en ligne directe du défunt comme ses enfants, ses petits-enfants, ses arrière-petits-enfants, etc. À l'intérieur de l'ordre des descendants, il pourra y avoir plusieurs générations, donc plusieurs degrés. Ainsi, le fils d'un défunt est son descendant au premier degré et son petit-fils, quant à lui, se retrouve au second degré.

ASCENDANTS

Comprend les parents dont le défunt descend en ligne directe. Cet ordre comprend un sous-ordre qui est composé des parents immédiats du défunt, soit ses père et mère, qu'on appelle les ascendants privilégiés, et un autre sous-ordre qui regroupe les autres parents du même ordre et que l'on nomme les ascendants ordinaires. Le grand-père maternel est l'ascendant au deuxième degré du défunt et on dit qu'il fait partie de la classe des ascendants ordinaires.

COLLATÉRAUX

Regroupe les personnes qui descendent d'un même parent que le défunt. Il s'agit d'un ordre de successibles qui comprend deux sous-ordres. Les frères et sœurs du défunt ainsi que leurs descendants au premier degré (neveux et nièces) constituent le groupe des collatéraux privilégiés. Les autres parents qui ne font pas partie des collatéraux privilégiés sont appelés des collatéraux ordinaires. Ainsi, ma tante Irma et mon cousin Hector font tous deux partie du groupe des collatéraux ordinaires. Ma tante est au troisième degré par rapport à moi et mon cousin est au quatrième degré.

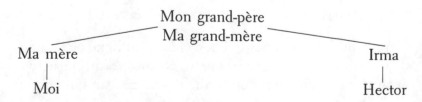

Deux autres choses sont à retenir pour bien comprendre à qui seront remis les biens du défunt après son décès. D'abord, la parenté est fondée sur les liens du sang et de l'adoption. Comme on l'a vu plus haut, aux yeux du Code civil du Québec, le conjoint de fait avec qui l'on partage sa vie n'est pas parent avec nous et, pour cette raison, la loi n'a pas prévu qu'il puisse figurer parmi nos héritiers potentiels advenant notre décès. En second lieu, tel que mentionné précédemment, lorsqu'il y a des successibles à des degrés divers dans un même ordre, le Code civil du Québec va préférer ceux qui sont les parents les plus près du défunt.

Enfin, il y a un concept avec lequel vous devez vous familiariser quelque peu pour bien comprendre les règles de transmission des biens dans le cas d'une succession «ab intestat», c'est celui de la «représentation». Il s'agit en fait d'une faveur accordée par la loi en vertu de laquelle un individu est appelé à recueillir une succession qui aurait été dévolue à son ascendant lorsque ce dernier est dans l'impossibilité de se porter héritier, parce que par exemple, il est décédé. Ainsi, la succession d'un père dévolue à un fils déjà décédé sera transmise aux enfants de ce fils décédé.

▶ **EXEMPLE**

Victor, qui est décédé célibataire et sans testament, le 7 mars dernier, a donné naissance à deux enfants, Pierre-Marc et Jean-Luc. Malheureusement, Jean-Luc est décédé six mois avant son père en laissant lui-même deux enfants, Angèle et Manon. La succession de Victor sera donc partagée comme suit : $1/2$ à Pierre-Marc et $1/2$ aux enfants de Jean-Luc, Angèle et Manon, qui recevront donc $1/4$ chacune.

Les neveux et nièces d'un frère ou d'une sœur prédécédés viendront également, selon les circonstances, recevoir la part d'héritage destinée à leur ascendant. Enfin, la représentation pourra également s'appliquer dans certaines situations entre les collatéraux ordinaires.

LES SCÉNARIOS USUELS

Voyons donc maintenant comment nos biens seront normalement partagés si nous décédons sans avoir pris la précaution de rédiger notre testament. La meilleure manière de comprendre ce domaine très complexe du droit des successions est de faire appel à des exemples concrets qui vont nous permettre d'illustrer les situations les plus fréquentes.

Sous réserve de certains droits découlant de législations spécifiques, comme celles établies au profit du conjoint de fait, tel que ci-dessus mentionné et sous réserve des droits et obligations des époux résultant du patrimoine familial et du régime matrimonial les liant, voici comment certaines successions « ab intestat » doivent être réglées selon les règles supplétives du Code civil du Québec.

▶ EXEMPLE

Au moment de son décès, René partageait sa vie avec Charlotte. Ces derniers vivaient en concubinage depuis près de 25 ans. Ils avaient eu ensemble trois enfants, Pierre, André et Laurent qui est mort avant son père en laissant lui-même deux enfants, Conrad et Charles-Étienne. Comment sera partagée la succession de René ?

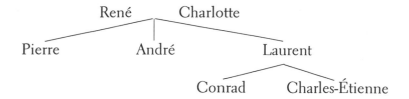

D'abord, Charlotte ne recevra rien puisque, comme on l'a vu précédemment, les conjoints de fait ne sont pas reconnus par le Code civil du Québec. Laurent étant mort avant son père, on devra appliquer les règles de la représentation pour permettre à Conrad et à Charles-Étienne de recevoir une part d'héritage. La succession sera donc partagée comme suit : $^1/_3$ à Pierre, $^1/_3$ à André, $^1/_6$ à Conrad et $^1/_6$ à Charles-Étienne.

Par ailleurs, si René et Charlotte avaient décidé de convoler en justes noces, le portrait aurait été bien différent. En effet, dans ces circonstances la loi prévoit que le conjoint marié reçoit le tiers des biens et les deux autres tiers sont partagés entre les enfants. Conséquemment, la succession aurait alors été divisée comme suit : $^1/_3$ à Charlotte, $^2/_9$ à Pierre, $^2/_9$ à André, $^1/_9$ à Conrad et $^1/_9$ à Charles-Étienne.

Il est également important de bien comprendre que la loi prévoit des scénarios de partage tout à fait différents selon que les successibles appartiennent à certains ordres plutôt qu'à d'autres.

▶ **EXEMPLE**

Vanessa vient de perdre prématurément son époux Jean-Louis, dans un accident d'automobile. Ce dernier n'a pas d'enfant mais il laisse également dans le deuil sa mère Catherine et son frère René.

Vanessa recevra les deux tiers de la succession alors que l'autre tiers sera dévolu à Catherine. René ne recevra rien, car les ascendants privilégiés ont priorité sur les collatéraux privilégiés lorsque le conjoint survit. Par ailleurs, si le père de Jean-Louis lui avait survécu, il aurait partagé avec Catherine le tiers des biens destiné aux ascendants privilégiés.

Si Catherine était également morte avant son fils, la succession aurait été répartie comme suit: $2/3$ à Vanessa, $1/3$ à René.

Si Jean-Louis et Vanessa n'avaient pas été mariés ou si cette dernière avait prédécédé son époux, Catherine et René se seraient partagé la succession en parts égales et en cas de prédécès de l'un d'eux, le survivant aurait hérité de la totalité de la succession.

Enfin, si Jean-Louis n'avait laissé aucun frère ni sœur, aucun neveu ni nièce et que son père et sa mère l'avaient précédé dans la mort, sa conjointe légitime, Vanessa, aurait été la seule à recueillir toute la succession.

Voici donc un schéma destiné à vous faciliter la tâche lorsque vous souhaitez déterminer quels seraient vos successibles si vous deviez décéder sans testament. Pour bien utiliser ce tableau, vous devez vous arrêter à la première ligne que vous rencontrez correspondant à votre situation familiale. Dans le but de simplifier le diagramme, les abréviations et symboles suivants ont été utilisés:

c.s. : conjoint survivant
desc. : descendants
a.p. : ascendants privilégiés

c.p. : collatéraux privilégiés
: pas de (ainsi # c.s. signifie que le défunt est décédé sans conjoint lui survivant)

Parenté	Dévolution successorale
c.s. + desc.	1/3 c.s. + 2/3 desc.
desc. # c.s.	tout aux desc.
c.s. + a.p.	2/3 c.s. + 1/3 a.p.
c.s. + c.p. # a.p.	2/3 c.s. + 1/3 c.p.
a.p. + c.p. # c.s.	1/2 a.p. + 1/2 c.p.
a.p. # c.p. # c.s.	tout aux a.p.
c.p. # a.p. # c.s.	tout aux c.p.
c.s. # a.p. # c.p.	tout au c.s.

Le Code civil du Québec prévoit évidemment d'autres règles de dévolution lorsque le défunt décède sans conjoint, sans descendants, sans ascendants et collatéraux privilégiés. Les ascendants et les collatéraux ordinaires seront alors appelés à la succession du défunt dans les proportions déterminées par la loi. Nous n'avons toutefois pas l'intention de continuer plus avant notre étude de ces règles, car elles sont fort complexes et que le but du présent ouvrage n'est pas de faire une étude exhaustive de tout le droit successoral. Le schéma que nous avons vu plus haut devrait pouvoir couvrir la majorité des cas de successions «ab intestat» rencontrées en pratique. Toute situation particulière mérite une attention spéciale et devrait vous inciter à consulter un notaire pour établir clairement qui serait appelé à votre succession si vous deviez décéder «ab intestat».

LES SUCCESSIONS «AB INTESTAT» ET LEURS INCONVÉNIENTS

Vous connaissez maintenant vos successibles et les règles de dévolution du Code civil du Québec vous semblent assez équitables dans votre situation. Vous vous demandez donc pourquoi vous devriez rédiger un testament. Voici quelques points à considérer qui devraient vous inciter à mettre sur papier vos dernières volontés.

AUCUN LIQUIDATEUR POUR RÉGLER LA SUCCESSION

Sans testament, la charge de liquidateur incombe à tous les héritiers à moins que ces derniers n'aient, à la majorité, désigné une personne pour exercer cette charge. Il est donc facile d'imaginer les problèmes suscités par le fait d'avoir à titre d'exemple sept héritiers et donc sept liquidateurs tant que la majorité n'a pas arrêté son choix. La succession pourrait encourir des pertes s'il y a du retard pour prendre des décisions et gérer les biens de la succession pendant un certain temps. Et que se passerait-il si les héritiers n'étaient pas d'accord pour désigner à la majorité un liquidateur ou que certains refusaient carrément de s'impliquer dans le règlement de la succession?

Si les héritiers tardent à s'entendre sur le choix du liquidateur, il pourrait en découler des préjudices sérieux pour la succession. Par exemple, si parmi les actifs du défunt se trouvaient certaines actions qui auraient avantage à être vendues rapidement, on peut se retrouver dans une situation fâcheuse si personne n'a l'autorité légale pour agir rapidement et pour engager la succession.De plus, si les héritiers ne réussissent pas à s'entendre quant au choix du liquidateur, le débat pourrait se retrouver devant les tribunaux et le règlement de la succession figé jusqu'au règlement du conflit.

DÉLAI ADDITIONNEL DANS LE RÈGLEMENT DE LA SUCCESSION

Le transfert des biens du patrimoine du défunt à celui de la succession ou des héritiers se fait assez rapidement lorsque le défunt a laissé un testament. Il en va tout autrement lorsque ce dernier est décédé «ab intestat». En effet, il faudra alors obtenir ce qu'on appelle une «déclaration d'hérédité» qui est en quelque sorte un document officiel déterminant quelles sont les personnes qui seront aptes à recueillir les biens de la succession.

DES IMPÔTS SUPPLÉMENTAIRES EN PERSPECTIVE

Comme nous le verrons plus loin, il est possible, dans plusieurs circonstances, de réduire de manière appréciable la masse des impôts qui seront payables à la suite d'un décès. Pour parvenir à ces fins, il faut utiliser à profit les règles fiscales qui permettent de réduire ou de retarder le paiement de certaines charges fiscales. Malheureusement, le recours à ces allègements fiscaux nécessite la plupart du temps une planification appropriée qui doit être faite avant le décès. Or l'instrument de planification successorale le plus efficace demeure sans aucun doute le testament. C'est par ce document que nous pourrons attribuer certains actifs particuliers à des personnes déterminées ou que nous pourrons créer une ou plusieurs fiducies testamentaires afin de réduire le plus possible la facture fiscale que notre succession et nos héritiers seront appelés à payer.

LA PROTECTION DES MINEURS DÉFICIENTE

Si vous avez des enfants qui n'ont pas encore atteint l'âge de la majorité, vous êtes-vous déjà demandé qui se verrait confier la gestion des biens qui pourraient leur être destinés advenant votre décès, sans que vous n'ayez eu le temps de rédiger votre testament?

La personne qui aura la charge d'administrer les biens dévolus à vos enfants mineurs s'appelle un tuteur. L'autre parent survivant de vos enfants mineurs exercera cette fonction de plein droit advenant votre décès.

Cependant, si l'autre parent devait être lui-même décédé ou s'il devait être dans l'impossibilité d'exercer la charge de tuteur et qu'aucune nomination n'ait été prévue dans votre testament ou dans une déclaration adressée au Curateur public du Québec, toute personne intéressée pourra s'adresser au tribunal et proposer, le cas échéant, une personne qui soit apte à exercer la tutelle et en accepter la charge. À l'exception du cas particulier où le tuteur serait le directeur de la protection de la jeunesse, le tribunal rendra sa décision sur avis d'un conseil de tutelle formé de trois personnes nommées par une assemblée de parents. Cette dernière devra être composée d'au moins cinq personnes et on devra y avoir obligatoirement convoqué l'autre parent s'il survit, et, s'ils ont une résidence connue au Québec, les autres ascendants de vos enfants mineurs ainsi que ses frères et sœurs majeurs.

De plus, là ne s'arrête pas le flot des procédures puisque la tutelle étant ce que l'on appelle «un régime de protection», l'administration du tuteur ainsi nommé est assujettie à des règles assez contraignantes. En effet, la gestion des biens du mineur par le tuteur est surveillée par le conseil de tutelle. Il faut également savoir que même dans le cas où le tuteur serait le parent des enfants mineurs, si la valeur des biens à administrer excède 25 000 $, il y aura quand même lieu de constituer ce conseil de tutelle qui aura pour tâche principale de surveiller l'administration du tuteur.

À la lecture de ce qui précède, vous pouvez aisément constater que tant pour nommer le tuteur de vos enfants mineurs, si l'autre parent de vos enfants ne vous survit pas, que pour suivre les formalités rattachées à la surveillance de l'administration du tuteur, il y aura des frais juridiques assez importants qui devront être assumés par la tutelle, ce qui laissera d'autant moins d'argent disponible pour répondre aux besoins des mineurs.

Voici quelques autres contraintes de taille qui peuvent éventuellement altérer la valeur du patrimoine du mineur lorsqu'un conseil de tutelle doit être constitué et lorsque l'administration du tuteur est soumise à la surveillance de ce conseil :

- Le tuteur a l'obligation de faire dans les 60 jours à partir de l'ouverture de la tutelle l'inventaire des biens à administrer et il doit souscrire une assurance ou fournir une autre sûreté acceptable par le conseil de tutelle pour garantir l'exécution de ses obligations.
- Le tuteur doit rendre compte de sa gestion annuellement et doit, à l'occasion, obtenir du conseil de tutelle ou du tribunal des avis ou autorisations. Par exemple, le tuteur qui voudrait vendre un immeuble appartenant au mineur devrait, lorsque le bien vaut plus de 25 000 $, se munir d'une évaluation professionnelle d'un expert et obtenir l'autorisation d'un tribunal qui sollicitera, avant de rendre sa décision, l'avis du conseil de tutelle.

On peut donc constater assez aisément que la tutelle au mineur peut, en certaines circonstances, s'avérer assez onéreuse pour le patrimoine du mineur et qu'elle peut être source de frustrations pour celui qui remplit cette fonction. Si l'on ne désire pas que cette situation survienne après notre décès, il y a lieu de soustraire les biens destinés au mineur du régime de la tutelle en créant une ou des fiducies pour les besoins de cet enfant dans un testament. En effet, l'utilisation de la fiducie testamentaire permet de choisir les personnes qui auront pour tâche d'administrer les biens d'un enfant mineur, et de déterminer quand et de quelle manière les actifs sous gestion seront remis au bénéficiaire. De plus, le testateur peut accorder à ces personnes des pouvoirs étendus pour leur permettre de gérer efficacement et sans contrainte le patrimoine de l'enfant.

QUESTIONS FRÉQUENTES

QUESTION
Que se passe-t-il si les deux époux décèdent en même temps?

RÉPONSE
Lorsqu'il est impossible d'établir lequel a survécu à l'autre, on fait comme si chacun avait prédécédé son conjoint.

 EXEMPLE

Paul et Marie, mariés ensemble depuis quelques années, sont décédés dans un accident d'avion. Ils ne laissent pas de descendants et leurs ascendants privilégiés (père et mère) respectifs sont tous décédés. Par ailleurs, Paul laisse dans le deuil ses frères, Roch et Antoine. Quant à Marie, elle n'a eu qu'une sœur, Louise, qui lui survit.

La succession de Paul sera donc partagée entre ses frères et celle de Marie ira en totalité à sa sœur Louise.

QUESTION
Puis-je « représenter » mon père et recueillir à sa place un héritage auquel il a renoncé ?

RÉPONSE
Non, on ne peut pas représenter celui qui a renoncé à une succession.

▶ **EXEMPLE**

Mon grand-père Émilien est décédé sans testament. Au jour de sa mort, il était veuf et lui ont survécu ses trois fils, Robert, Denis et Pierre. Mon père, Pierre, qui aurait eu droit de recevoir le tiers de la succession, a renoncé à sa part d'héritage. S'il avait lui-même prédécédé son père, j'aurais pu le représenter comme héritier mais comme il a renoncé, je ne suis pas en mesure de le faire et je ne pourrai pas hériter de mon grand-père Émilien.

QUESTION
Celui qui a été déclaré coupable d'avoir attenté à la vie d'une personne peut-il hériter de cette même personne ?

RÉPONSE
Non, il est reconnu par la loi comme étant «indigne» de succéder. De plus, les personnes suivantes pourraient

également être déclarées « indignes » de succéder par un tribunal compétent :

- celui ou celle qui a exercé des sévices sur le défunt ou celui qui a eu à l'égard de la personne décédée un comportement hautement répréhensible ;
- celui qui a caché, altéré ou détruit de mauvaise foi le testament du défunt ;
- celui qui a gêné le testateur dans la rédaction, la modification ou la révocation de son testament.

QUESTION

Est-ce que le Code civil du Québec traite différemment les parents germains, c'est-à-dire les personnes qui ont le même père et la même mère, de ceux qui n'ont qu'un seul ascendant commun ?

RÉPONSE

Effectivement, le partage de la succession en deux parts, soit entre la ligne paternelle et la ligne maternelle qu'on appelle en terme juridique la « fente », doit recevoir application dans certaines situations, nous dit le code. Sans entrer dans les règles assez complexes d'application de la fente, disons qu'on pourra la retrouver lorsqu'une partie ou la totalité d'une succession est dévolue aux collatéraux privilégiés, ou aux ascendants ou collatéraux ordinaires. Par ailleurs, retenez que la fente ne s'applique jamais entre descendants, ni entre ascendants privilégiés.

À VOUS DE CHOISIR

Le choix vous appartient donc. Vous pouvez préparer vous-même votre succession en rédigeant un testament qui reflétera vos volontés ou vous en remettre au législateur qui décidera à votre place. Si vous optez pour cette seconde solution, sachez toutefois que le partage de vos biens pourra se faire d'une manière que vous n'auriez pas souhaitée et que vos héritiers devront fort probablement assumer des frais juridiques et des délais défavorables au règlement efficace de votre succession.

LE TESTAMENT :
COMMENT S'Y PRÉPARER

« Il rédigea son testament, se sentit en état
de bien mourir, et, effrayé, le déchira aussitôt. »

ROBERT SABATIER

On ne peut parler de véritable planification financière sans
accorder une grande importance à la préparation d'un testament. En effet, il s'agit d'une pièce maîtresse dans toute
planification fiscale et successorale. L'absence de testament
peut affecter grandement la valeur du patrimoine qu'un
individu laisse à son décès. De plus, comme nous l'avons vu
précédemment, les règles de distribution des biens prévues
dans le Code civil du Québec dans le cas des successions « ab
intestat » pourraient, en certaines occasions, créer des situations que nous aurions aimé éviter. Il est donc essentiel de
« planifier » notre testament afin que ce dernier reflète fidèlement nos volontés et que nos biens puissent être distribués
efficacement à nos héritiers avec un minimum de charges
fiscales et de frais juridiques. Voyons donc maintenant quelles
sont les vraies questions que nous devrions nous poser avant
d'aller chez le notaire.

QUI SERONT MES HÉRITIERS?

La liberté de tester, c'est-à-dire le droit de laisser ses biens à son décès aux personnes de son choix, a été passablement réduite ces dernières années par le législateur québécois. Autrefois, le testateur pouvait léguer ses biens à son conjoint, ses enfants ou des amis dans les proportions désirées selon ses préférences. La seule véritable contrainte dont il fallait tenir compte était le régime matrimonial du testateur pour le cas où ce dernier serait marié au jour de son décès. Aujourd'hui de nouvelles règles sont venues réduire davantage la marge de manœuvre des testateurs mariés ou divorcés ainsi que de ceux qui ont des enfants. Ainsi, on pourra devoir à l'occasion prendre en compte les règles du patrimoine familial, celles du droit à une prestation compensatoire ou du droit à des aliments. Évidemment, les célibataires et les conjoints de fait n'ont pas à se préoccuper de ces dispositions sauf pour ce qui est du droit à des aliments qui a été établi, comme nous allons le voir, en faveur des ex-conjoints mariés et des descendants d'une personne décédée. Avant de léguer quoi que ce soit à des successibles, il y a donc lieu de vérifier auparavant si nous sommes soumis à ces dispositions que nous retrouvons dans le Code civil du Québec, ces dernières établissant des créances qui auront priorité sur le droit des légataires nommés au testament.

1ʳᵉ ÉTAPE: LE PATRIMOINE FAMILIAL

Afin de déterminer l'assiette des actifs qui pourra être distribuée à notre succession, il faut d'abord identifier les biens qui font partie du patrimoine familial des époux. En effet, la valeur de ces biens doit être divisée en parts égales entre les conjoints au moment du décès. Ce n'est que la part du patrimoine familial attribuée au défunt qui pourra faire l'objet de legs dans le testament de ce dernier.

► **EXEMPLE**

Rosaire et Rita sont mariés ensemble depuis 1990. La valeur des biens de leur patrimoine familial s'élève à 65 000 $. Rosaire décède sans aucun autre actif. Dans son testament, le défunt avait avantagé sa sœur Louise seulement. En effet, il lui avait légué toute sa succession. Rita pourra donc recevoir des biens pour une valeur de 32 500 $ en vertu des règles de partage du patrimoine familial et Louise pourra recevoir la succession de son frère qui comprend essentiellement sa part du patrimoine familial, c'est-à-dire une valeur de 32 500 $.

DE QUOI SE COMPOSE LE PATRIMOINE FAMILIAL ?

Les biens qui en font partie sont strictement définis par le Code civil du Québec. Il s'agit essentiellement des actifs qu'on pourrait qualifier de « biens familiaux » :

- les résidences de la famille ;
- les meubles qui servent à l'usage du ménage et qui garnissent et ornent ces résidences ;
- les véhicules automobiles utilisés pour les déplacements de la famille ;
- les droits accumulés durant le mariage dans un régime de retraite, sauf si le régime accorde des prestations de décès au conjoint survivant.

Au contraire, ne sont pas considérés comme faisant partie du patrimoine familial les biens suivants :

- les comptes en banque ;
- un immeuble à revenus ;
- des actions dans une entreprise appartenant à l'un des époux ;
- des placements divers (actions, obligations, fonds d'investissement, etc.) qui ne sont pas détenus à l'intérieur d'un régime de retraite enregistré.

Retenez également que les biens reçus par l'un ou l'autre des conjoints par succession, legs ou donation, avant ou pendant le mariage, sont exclus du patrimoine familial. Pour ce qui est des biens qui appartenaient déjà à l'un des époux au moment du mariage, la partie payée de ces biens à cette date de même que la plus-value acquise pendant le mariage afférente à cette partie sera soustraite de la valeur établie aux fins de partage. De plus, n'oubliez pas que c'est la valeur nette du bien qui doit être retenue et qu'il faudra donc tenir compte des dettes qui ont été contractées pour l'achat, l'amélioration, l'entretien ou la conservation des actifs considérés.

À QUI S'APPLIQUENT CES RÈGLES ?

Tous les conjoints mariés, peu importe la date de leur mariage et leur régime matrimonial, sont soumis à ces règles. Par ailleurs, certains couples mariés avant la date d'entrée en vigueur des dispositions relatives au patrimoine familial, soit avant le 1er juillet 1989, ont pu volontairement choisir de se soustraire à l'application de ces règles. Pour ce faire, ils devaient obligatoirement signer une convention à cet effet, devant notaire, avant le 31 décembre 1990.

Rappelons-nous enfin que les règles du patrimoine familial ne sont pas comprises dans nos lois fiscales mais qu'elles découlent plutôt des dispositions du Code civil du Québec. En conséquence, elles ne valent que pour les gens mariés légalement, les conjoints de fait n'y étant aucunement soumis.

EN PRATIQUE ÇA FONCTIONNE COMMENT?

La meilleure façon d'illustrer le fonctionnement des règles de partage du patrimoine familial consiste à utiliser un exemple concret faisant appel à plusieurs notions vues précédemment. Prenons le cas de Victor et d'Hélène qui se sont mariés en 1988 et qui ne se sont pas prévalu de leur droit de renoncer à l'application des règles du patrimoine familial à leur union en temps utile.

 EXEMPLE

Supposons qu'Hélène soit décédée en 1998 et faisons le bilan des biens que chacun des époux possède à cette date.

Biens appartenant à Hélène
- Un chalet d'une valeur de 75 000 $, acquis en 1990 pour une somme de 50 000 $. L'achat de la résidence secondaire a été réalisé grâce à un investissement de 25 000 $ de la part d'Hélène et à une hypothèque de 25 000 $. Au moment du décès, le solde dû sur hypothèque s'élève à 15 000 $. La somme versée par Hélène au moment de l'achat provenait de ses économies personnelles (5000 $) et d'un héritage reçu au décès de son père (20 000 $).
- Un REER d'une valeur de 110 000 $ accumulé en totalité durant le mariage.

- Une automobile acquise en 1987 pour la somme de 23 000 $. Le véhicule ne vaut maintenant plus que 4000 $ et il a été payé comptant par Hélène à l'époque à même ses économies personnelles.

Biens appartenant à Victor

- Une maison acquise avant son mariage pour une somme de 50 000 $ dans laquelle il a vécu toute sa vie avec Hélène. Au moment de leur union, la maison avait une valeur de 80 000 $ et il restait alors une hypothèque de 40 000 $ à payer. Au moment du décès d'Hélène, on peut établir la valeur de cette résidence à 150 000 $. Cependant, il y a encore une hypothèque de 50 000 $ qui affecte cette propriété. En effet, Victor, qui avait fini de rembourser son hypothèque en 1996, en a contracté une nouvelle, sur les conseils de son planificateur financier, pour investir à la bourse.

- Un portefeuille d'actions d'une valeur de 70 000 $.

Voici donc comment établir la valeur partageable du patrimoine familial de Victor et d'Hélène au jour du décès :

Valeur partageable des biens d'Hélène

- Le chalet :

valeur du bien	75 000 $	
moins : hypothèque	(15 000 $)	
valeur nette	60 000 $	60 000 $
Moins :		
a) héritage		(20 000 $)
b) plus-value accumulée grâce		

à l'héritage $25\ 000\ \$ \times \dfrac{20\ 000\ \$}{50\ 000\ \$}$ (10 000 $)

                      (30 000 $)

Valeur partageable : 30 000 $ (60 000 $ - 30 000 $)

- Le REER: la totalité des sommes accumulées est entièrement partageable, soit 110 000 $.
- L'automobile: acquise et payée en entier avant le mariage, sa valeur ne fait pas partie du patrimoine familial des époux.

Valeur partageable des biens de Victor
- La maison:

valeur du bien	150 000 $	
moins: hypothèque	0,00 $*	
valeur nette	150 000 $	150 000 $

Moins:

a) partie payée au moment du mariage   (40 000 $)

b) plus-value accumulée grâce à la partie payée avant le mariage

$$100\ 000\ \$ \times \frac{40\ 000\ \$}{80\ 000\ \$}$$

(50 000 $)

(90 000 $)

Valeur partageable: 60 000 $ (150 000 $ - 90 000 $)

- Le portefeuille d'actions: ne fait pas partie du patrimoine familial des époux.

Bilan:

valeur partageable des biens d'Hélène:	140 000 $
valeur partageable des biens de Victor:	60 000 $
masse totale partageable:	200 000 $
part de chaque époux:	100 000 $

---

* La dette hypothécaire ne peut être retenue comme déduction de la valeur partageable du bien étant donné que le produit du prêt a servi à l'acquisition d'actifs ne faisant pas partie du patrimoine familial, soit un portefeuille de valeurs mobilières.

Victor possède donc un droit de créance contre la succession d'Hélène pour une somme de 40 000 $ (100 000 $ - 60 000 $). Hélène doit en conséquence tenir compte des règles du patrimoine familial lorsqu'elle prépare son testament si elle envisage de laisser une partie ou la totalité de sa succession à d'autres personnes que son époux. Elle doit savoir que la créance de Victor est prioritaire et qu'on devra prendre des dispositions nécessaires pour l'acquitter avant de poursuivre plus avant le règlement de sa succession.

2ᵉ ÉTAPE : LE RÉGIME MATRIMONIAL

Certains biens qui ne font pas partie du patrimoine familial peuvent être affectés par le régime matrimonial choisi par les époux. Retenez toutefois que les biens dont le sort a été réglé à la première étape, c'est-à-dire qui ont déjà été partagés parce que faisant partie du patrimoine familial, ne seront pas soumis à certaines règles de partage propres aux régimes matrimoniaux. En fait, les mêmes biens ne peuvent être partagés deux fois.

QUELS SONT LES RÉGIMES MATRIMONIAUX ?

En pratique, on rencontre fréquemment trois types de régimes matrimoniaux : la séparation de biens, la société d'acquêts et la communauté de biens. La communauté de biens est de plus en plus rare, car il s'agit du régime légal qui prévalait lorsque les gens se mariaient sans contrat de mariage avant le 1ᵉʳ juillet 1970. Depuis cette date, c'est la société d'acquêts qui est le régime par défaut, c'est-à-dire celui qui sera attribué aux époux qui choisissent librement de ne pas faire de contrat de mariage. La séparation de biens a toujours été un régime matrimonial contractuel. De tout temps, il a fallu que les conjoints adoptent ce régime par l'intermédiaire d'une stipulation à un contrat de mariage. Enfin, retenez que bien qu'un grand nombre d'époux qui sont régis par les règles de la communauté de biens ou de la société d'acquêts n'ont pas de contrat de mariage, il y en a quand même plusieurs, tout particulièrement en société d'acquêts, qui ont tenu à manifester leur option dans un contrat de mariage.

Séparation de biens

C'est le régime le plus simple. En séparation de biens, chacun des époux a la libre disposition de ce qui lui appartient. Il peut donc léguer par testament à qui il veut les biens qu'il possède et qui ne font pas partie du patrimoine familial.

Société d'acquêts

Il s'agit d'un régime matrimonial qui partage avec la communauté de biens le titre de « régime communautaire ». On le qualifie ainsi parce que certains biens qui sont acquis par les époux au cours du mariage seront sujets à partage.

Retenons que généralement les biens acquis avant le mariage, ceux reçus par donation, legs ou succession, demeurent « propres » à celui qui en est devenu propriétaire. Il peut donc en disposer comme bon lui semble.

Par ailleurs, les autres actifs acquis pendant le mariage par l'un ou l'autre des époux feront partie de ses « acquêts » et seront sujets à partage au jour de la dissolution du mariage.

Au décès de l'un des conjoints, chaque époux conserve ses biens propres et il a droit à la moitié de la valeur des acquêts de son conjoint. Sachez enfin que le partage des acquêts n'est pas obligatoire et que le conjoint survivant ainsi que la succession du défunt peuvent y renoncer.

Dans certains cas, le partage des biens compris dans la société d'acquêts pourra s'avérer fort complexe, car certains biens peuvent avoir été acquis à même des sommes considérées comme « propres » et d'autres comme « acquêts » et il faudra en tenir compte. Il n'est toutefois pas pertinent dans un ouvrage comme celui-ci de pousser plus avant l'étude de ce régime matrimonial. Retenez-en les grandes lignes et sachez que toute situation particulière méritera une attention spéciale et une meilleure connaissance des règles de la société d'acquêts.

Communauté de biens

Ce régime comprend trois catégories de biens : les biens communs, les biens propres et les biens réservés.

Sont compris dans les biens réservés les revenus de travail de l'épouse, ses économies et les biens qu'elle a acquis à même ses revenus. En règle générale, les biens qui ont été légués ou donnés à un époux lui demeurent propres, soit parce que la loi en a décidé ainsi, soit parce que le testateur avait stipulé à son testament que les biens qu'il léguait à ses héritiers devraient constituer des biens propres. Sont également propres les biens immeubles acquis par succession avant ou après le mariage. Enfin, sont communs les autres biens acquis par l'un ou l'autre des époux avant ou pendant le mariage.

En cas de décès, chaque époux conserve ses biens propres et les biens réservés, de même que les biens communs, sont partagés également entre le conjoint survivant et les héritiers du conjoint décédé, sauf évidemment si le défunt a laissé par testament tous ses biens à son conjoint.

Enfin, l'épouse peut décider de renoncer au partage de la communauté de biens. En pareil cas, elle pourra conserver ses biens réservés. Si c'est elle qui décède en premier, ce sont ses héritiers qui auront l'option d'accepter ou de refuser le partage.

3ᵉ ÉTAPE: LES SITUATIONS PARTICULIÈRES

À certaines occasions, la succession d'un défunt pourra être appelée à verser des sommes d'argent à des personnes qui auraient droit de les réclamer selon les dispositions du Code civil du Québec. Il faudra donc tenter de prévoir ces réclamations et évaluer leur impact sur la valeur des legs que nous avons l'intention d'inscrire dans notre testament. Essentiellement, il s'agit de droits de créance qui pourraient découler de l'application des règles de la prestation compensatoire et de la survie de l'obligation alimentaire.

LA PRESTATION COMPENSATOIRE

Dans l'année suivant le décès de son conjoint, l'époux survivant peut demander à un tribunal de statuer sur son droit à obtenir une prestation pour compenser son apport, en biens ou en services, à l'enrichissement du patrimoine de son conjoint. Le tribunal pourra donc déterminer en certains cas que la succession d'un défunt est redevable d'une prestation compensatoire en faveur du conjoint qui a survécu au défunt. Il devra tenir compte, pour rendre sa décision, des avantages que procurent au réclamant le régime matrimonial, le contrat de mariage des époux, s'il y a lieu, ainsi que la succession du défunt.

Le cas d'application le plus facile à comprendre qui me vienne à l'esprit est celui des époux qui exploitent ensemble une entreprise. Supposons que seul le mari en soit le propriétaire légal et que sa conjointe y ait consacré une grande partie de sa vie et ce, sans être rémunérée. Pour simplifier l'exemple, supposons également que le régime matrimonial des conjoints soit la séparation de biens, que le seul actif substantiel de la famille soit cette entreprise et que monsieur décède après avoir fait un testament dans lequel il lègue tous ses biens à son père.

Dans une telle situation, le conjoint survivant peut donc se retrouver sans aucun actif suite au décès de son époux. Seules les règles de la prestation compensatoire pourront lui permettre de faire valoir ses droits et de toucher sa juste part des biens que son époux a laissés dans sa succession.

LA SURVIE DE L'OBLIGATION ALIMENTAIRE

Le droit québécois a depuis fort longtemps reconnu l'obligation alimentaire entre époux et entre parents en ligne directe (descendants ou ascendants). On entend par « obligation alimentaire » la responsabilité des personnes ci-dessus mentionnées d'assurer la subsistance de leurs proches. C'est sur cette base que certains conjoints se voient tenus de verser une pension alimentaire à un ex-conjoint, soit pour assurer la subsistance des enfants qu'ils ont eu ensemble ou adopté légalement et qui sont à la charge de cet ex-conjoint ou tout simplement pour permettre à chacun des époux de continuer à vivre dans une situation financière acceptable après le divorce.

Or le législateur québécois a fait un pas de plus récemment en adoptant le Code civil du Québec. Il a pris les dispositions nécessaires pour que le droit à des aliments puisse survivre au décès du débiteur.

C'est ainsi qu'il a été établi que tout créancier d'aliments qui veut réclamer une contribution financière de la succession d'un défunt doit le faire dans les six mois qui suivent le décès.

Dans le cas d'un ex-conjoint qui percevrait une pension du défunt au moment du décès, la somme qui lui sera payable ne pourra excéder douze mois de pension alimentaire. Dans les autres cas, la contribution est fixée en accord avec la succession ou, à défaut d'entente, par le tribunal. Le Code civil a déterminé certains critères pour faciliter la fixation du montant de la contribution et il a établi certains plafonds qui requièrent des calculs assez complexes. Disons que l'intention était louable mais que les règles d'application n'ont pas été rédigées avec un souci de simplicité. Cela risque malheureusement de judiciariser encore davantage le règlement des successions au détriment bien souvent des parties impliquées.

Retenez toutefois que votre succession pourrait être responsable de verser certaines sommes d'argent à des créanciers d'aliments et ce, que le réclamant soit héritier ou légataire particulier ou que le droit aux aliments ait ou n'ait pas été exercé avant la date du décès. Les sommes en jeu ne devraient cependant jamais excéder dix pour cent de la valeur de la succession.

Enfin, dans certaines situations particulières, il y aura lieu de tenir compte d'engagements pris par le testateur dans certains documents importants comme son contrat de mariage, une convention d'actionnaires ou un contrat de société s'il a des intérêts dans une entreprise ou des polices d'assurance-vie avec des bénéficiaires désignés.

4ᴱ ÉTAPE : N'OUBLIEZ PAS LES IMPÔTS

Une fois que vous aurez déterminé quels sont les biens que vous pouvez léguer à des personnes de votre choix, il vous faudra bien évaluer les conséquences fiscales pouvant être liées à la transmission par décès de certains de ces biens. Il y aura donc lieu de préparer ce qu'on appelle un bilan successoral. Il s'agit d'un exercice qui va vous permettre de bien identifier les biens qui feront l'objet de legs et de mesurer les incidences fiscales de leur transmission par décès aux légataires choisis. Évidemment, les impôts ne doivent pas constituer notre seule source d'inspiration lorsqu'on décide de donner nos biens par testament. Toutefois, comme l'illustre l'exemple simple qui suit, ne pas tenir compte des considérations fiscales des legs que nous envisageons établir dans un testament risque de créer des situations que nous n'aurions jamais souhaitées.

▶ **EXEMPLE**

Pierre-Paul est veuf et il désire partager également ses biens qui totalisent environ 100 000 $ entre ses deux enfants majeurs, Stéphane et Jean-Louis. Essentiellement, les actifs de Pierre-Paul sont composés d'un REER d'une valeur de 50 000 $ et d'un portefeuille de certificats de placement garanti pour un égal montant. Si Pierre-Paul stipule dans son testament que son REER appartiendra à Stéphane alors que le résidu de la succession sera remis à Jean-Louis, il sera manifestement passé à côté de son objectif. En effet, au jour de son décès nos lois fiscales stipulent qu'il y aura disposition présumée des sommes accumulées dans le REER de Pierre-Paul. En fait, la succession du défunt sera donc au même point que si ce dernier avait retiré tous les actifs détenus dans son REER quelques jours avant son décès. On devra donc ajouter aux revenus de Pierre-Paul pour l'année du décès une somme de 50 000 $, ce qui entraînera le paiement d'impôts additionnels importants. Or le hic, c'est que le légataire particulier qui reçoit le REER pourra bénéficier des 50 000 $ alors que Jean-Louis touchera une part d'héritage substantiellement réduite, car la loi prévoit que les dettes et charges fiscales sont payables par la succession, c'est-à-dire par le légataire résiduaire. Pour éviter cette situation, Pierre-Paul devrait laisser tous ses biens à ses deux enfants en parts égales sans attribuer de biens spécifiques à l'un ou l'autre. Ces derniers seraient ainsi responsables en parts égales des charges fiscales liées au décès de leur père et à la transmission de certains actifs lourdement imposés par le fisc.

Nous verrons plus loin les principales règles d'imposition des biens dont il faut tenir compte lorsqu'une personne décède. Retenez toutefois à cette étape-ci que vous devrez, avant de penser à la rédaction de vos dispositions testamentaires, très bien évaluer la situation de vos biens à votre décès et établir avec le plus de précision possible quelles seront les responsabilités financières que votre succession devra assumer.

LE TESTAMENT : SON CONTENU

> « Son épouse était si autoritaire
> qu'il avait rédigé son testament en commençant
> par ces mots : Voici mes premières volontés. »
>
> Eugène Labiche

On pourrait définir simplement le testament en disant qu'il s'agit d'un acte unilatéral par lequel une personne, appelée testateur, dispose de tout ou partie de ses biens, par des dispositions écrites qui ne pourront avoir d'effet qu'au moment du décès de son auteur. Cette courte définition m'inspire quelques commentaires qui vont me permettre de répondre à certaines questions souvent posées aux notaires.

LE TESTAMENT CONJOINT N'EST PAS PERMIS

Certaines personnes vivant en couple aimeraient faire un testament conjoint, c'est-à-dire un seul testament pour deux personnes. Cela est impossible, le testament étant, comme on l'a vu plus haut, un acte unilatéral. Par ailleurs, rien n'empêche deux individus de rédiger leur testament sur une même feuille de papier pour autant que les textes soient écrits et signés séparément. Il faut que l'on puisse distinguer aisément le testament de chaque personne.

Il y a une exception à cette règle. Il s'agit de la clause testamentaire que l'on retrouve dans la majorité des contrats de mariage. Cette stipulation, que certains appellent « institution contractuelle » ou encore « clause au dernier vivant les biens », établit normalement un legs de la totalité des biens du premier des époux qui décède en faveur du survivant ou, plus rarement, en faveur de leurs enfants communs nés ou à naître.

LE TESTAMENT EST TOUJOURS RÉVOCABLE

Un testament peut toujours être modifié ou même révoqué par le testateur. C'est le dernier testament qui est le bon, celui que le défunt aura laissé au jour de son décès, tel que modifié s'il y a lieu et qui n'aura pas été l'objet de révocation.

On ne pourrait donc pas renoncer à ce droit de révoquer les dispositions testamentaires stipulées dans un testament. Par ailleurs, on peut rencontrer à l'occasion des « clauses au dernier vivant les biens » ou « institution contractuelle » dans un contrat de mariage qui ont été stipulées irrévocables par les époux. C'est le seul cas où des dispositions testamentaires pourraient être irrévocables. Sachez toutefois qu'avec le consentement de tous les intéressés, il sera possible, même dans ce cas, de révoquer les clauses testamentaires apparaissant au contrat de mariage.

LE TESTAMENT EST CONFIDENTIEL

Ce n'est qu'au décès d'une personne que l'on peut prendre connaissance des dispositions testamentaires laissées par cette dernière. Le notaire qui rédige un testament ne peut donner communication du contenu d'un testament avant le décès de son auteur. Il ne peut même pas informer les parents inquiets d'une personne gravement malade du fait qu'il a ou n'a pas reçu le testament de cette personne.

Ce n'est que sur réception d'une preuve officielle du décès d'un testateur qu'un notaire pourra remettre à un successible une copie du dernier testament fait par le défunt.

LES TYPES DE TESTAMENTS

Le Code civil du Québec reconnaît trois formes de testament : le testament notarié, devant témoins ou olographe.

Le testament olographe

Il est entièrement écrit par le testateur, autrement que par un moyen technique et signé par lui. Aucun témoin n'est nécessaire.

Le testament devant témoins

Il est écrit par le testateur ou par un tiers. Sans avoir à divulguer le contenu du texte, le testateur doit, une fois son testament rédigé, déclarer en présence de deux témoins que l'écrit qu'il présente est son testament. Par la suite, les témoins signent le testament en présence du testateur. Dans le cas où le testament serait écrit par un tiers ou par un moyen technique, le testateur et les témoins doivent parapher ou signer chaque page de l'acte qui ne porte pas leur signature.

Le testament notarié

Il est reçu par un notaire qui est assisté d'un témoin ou, en certains cas, de deux témoins. Le testament est par la suite lu par le notaire au testateur avec ou sans la présence du témoin, selon le désir du testateur. Enfin, ce dernier doit déclarer en présence du témoin que l'acte lu contient ses dernières volontés et tous signent par la suite le testament en présence les uns des autres. À noter que les employés du notaire instrumentant qui ne sont pas eux-mêmes notaires ne peuvent agir comme témoin au testament notarié.

Quel type choisir?

De toute évidence, lorsque le testateur est capable de procéder lui-même à sa rédaction, le testament olographe est le plus facile à réaliser. En effet, point n'est besoin de témoin, il suffit d'une feuille de papier et d'un stylo. Le testament devant témoins a pour avantage, par rapport au testament olographe, de pouvoir être fait à partir d'un texte écrit ou dactylographié par le testateur ou par une autre personne. Il nécessite toutefois la participation de deux témoins.

Par ailleurs, l'inconvénient majeur du testament qui n'est pas reçu devant notaire est qu'il doit être homologué par le tribunal après le décès. En effet, on doit s'assurer que le document qui est entre les mains d'une personne qui en revendique l'homologation est bien le testament du défunt. L'homologation a donc pour but de vérifier si le document respecte les formalités exigées par le Code civil du Québec et d'en tirer par la suite des copies qui seront considérées comme authentiques. Donc, la procédure vise à valider le testament et elle assure la conservation du document original, tout en permettant la reproduction de copies officielles de l'acte.

Or là où le bât blesse, c'est que la procédure d'homologation d'un testament s'avère assez coûteuse. Il faudra compter plusieurs centaines de dollars pour qu'un officier du tribunal compétent puisse se rendre à la demande de celui qui veut faire vérifier un testament. Comme pour toute procédure judiciaire analogue, il faudra aussi compter sur une période de temps assez longue avant d'obtenir l'homologation désirée.

Bref, faire soi-même son testament vous procurera une économie immédiate, mais il s'agit d'un fort mauvais investissement. Vous n'aurez pas à défrayer les honoraires d'un notaire pour la préparation de votre testament mais il faudra prévoir des délais et des frais additionnels pour l'homologation du testament que vous aurez vous-même préparé.

À mon point de vue, le testament olographe ou devant témoins peut être fort utile lorsqu'il est impossible de recourir aux services d'un notaire parce que la situation ne s'y prête pas, comme par exemple lorsqu'une personne est à l'article de la mort et qu'il n'est pas possible de consulter un notaire dans l'immédiat. Cependant, dans les autres cas, le testament notarié est préférable.

Voici enfin quelques autres avantages du testament notarié à considérer:

Il est en sécurité

Le testament olographe ou devant témoins peut être perdu, volé ou détruit. Le testament notarié est conservé par le notaire dans une chambre forte à l'épreuve du feu.

Il est facile à retracer

Le testament notarié est inscrit au Registre des testaments de la Chambre des notaires du Québec. Le contenu de l'acte lui-même ne fait pas l'objet de dépôt à l'organisme professionnel. Les seules informations transmises par le notaire au registre officiel sont le nom, adresse, état civil, date de naissance et numéro d'assurance-sociale du testateur. Par la suite, au décès d'une personne, il est facile de retracer son dernier testament en communiquant avec la Chambre des notaires du Québec qui effectuera la recherche dans son registre à partir des informations pertinentes.

Il est habituellement plus complet

La préparation de testaments constitue une partie importante du travail du notaire. Il est donc en mesure de prévoir les situations qui pourraient se présenter suite à votre décès et de trouver les clauses appropriées afin d'éviter des problèmes. Son expertise vous sera sûrement profitable.

Il est plus difficilement contestable

Une des principales fonctions du notaire est de s'assurer que la personne qui rédige son testament est saine d'esprit et qu'elle a toutes les capacités requises pour le faire. Celui qui est insatisfait du contenu d'un testament et qui voudrait en attaquer la validité en tentant de prouver que le défunt était considéré incapable au moment où il a rédigé son testament aura donc fort à faire si le testament est notarié.

TYPES ET ESPÈCES DE LEGS

C'est par l'intermédiaire des legs que nous distribuerons nos biens après notre décès. Il faudra donc utiliser la bonne formulation pour atteindre nos objectifs et faire en sorte que nos volontés soient respectées.

LES ESPÈCES DE LEGS

Les legs sont soit des legs à titre particulier, universel ou à titre universel.

Le legs universel

Se retrouve lorsqu'on laisse tous ses biens à une ou plusieurs personnes.

▶ **EXEMPLE**

« Je lègue tous mes biens à mon épouse Rita. »
« Je lègue tous mes biens à mes enfants Victor et René. »

Le legs à titre universel

C'est la disposition par laquelle on laisse à une ou plusieurs personnes une partie de nos biens ou de la clause qui attribue sur la totalité ou une partie de nos biens un droit quelconque (exemple : droit d'usufruit) à une ou plusieurs personnes.

▶ **EXEMPLE**

« Je lègue le tiers de mes biens à ma fille Louise. »
« Je lègue tous mes biens immeubles à mon frère Édouard. »

« Je lègue à mon épouse Élizabeth l'usufruit de tous mes biens. »

Le legs à titre particulier

Tout legs qui ne se classe pas comme legs universel ou à titre universel est considéré comme étant à titre particulier.

 EXEMPLE

« Je lègue à Jean-Paul mes actions dans la compagnie ABC inc. »

LES TYPES DE LEGS

Le legs résiduaire

C'est la disposition testamentaire par laquelle on laisse à une ou plusieurs personnes tout ce qui n'a pas déjà été légué à d'autres.

 EXEMPLE

« Je lègue à Louise ma maison à Montréal. Je lègue à Paul tout véhicule automobile que je posséderai au jour de mon décès et je lègue le *résidu de mes biens* à mon fils Eugène. »

Il est fréquent de rencontrer dans la pratique des testaments olographes ou devant témoins incomplets. En effet, plusieurs testateurs distribuent un certain nombre de leurs biens par testament à des personnes désignées mais ils omettent souvent d'ajouter un legs résiduaire pour qu'on puisse savoir à qui seront remis les autres biens qu'on découvrira et qui n'ont pas été attribués par des clauses spécifiques. Le legs résiduaire est donc tout désigné pour éviter de se retrouver dans une telle situation. Rappelez-vous que les biens qu'un testateur laisse à son décès sans en avoir disposé par testament devront être remis à ses héritiers « ab intestat » et que leur sort sera réglé selon les règles de dévolution successorale prévues au Code civil du Québec.

Le legs en usufruit

Ce legs a pour but d'attribuer la jouissance d'un bien et la propriété de ce même bien à des personnes différentes.

► EXEMPLE

« Je lègue l'usufruit de ma propriété située à Montréal à mon épouse Catherine, sa vie durant, et je lègue la nue-propriété dudit bien à mes enfants Robert et Claude. »

Catherine pourra donc habiter cette maison ou bénéficier des revenus qu'elle produit jusqu'à son décès. Cependant, elle ne pourra pas la vendre, car le droit de propriété appartient à Robert et Claude.

Ce type de legs peut répondre aux besoins d'un testateur qui voudrait s'assurer par exemple que son conjoint pourra bénéficier de sa maison jusqu'à son décès, tout en étant certain que ses enfants pourront un jour disposer comme bon leur semble de cette propriété.

Le legs en substitution

On parlera d'un legs en substitution lorsqu'une personne reçoit des biens par testament avec l'obligation de les rendre après un certain temps à un tiers.

▶ **EXEMPLE**

« Je lègue tous les biens que je laisserai au jour de mon décès à mon époux Alexandre à charge par lui de les rendre à son décès à ses enfants. »

Le legs en fiducie

Il permet de confier à l'administration d'une ou de plusieurs personnes, appelée(s) fiduciaire(s), des biens pour qu'elle(s) puisse(nt) en disposer, selon les prescriptions prévues au testament, en faveur de personnes désignées, appelées bénéficiaires.

▶ **EXEMPLE**

« Je lègue une somme de 50 000 $ qui sera transférée dans un patrimoine fiduciaire pour le bénéfice de mes enfants au premier degré. Je nomme comme fiduciaires de la présente fiducie ma sœur Rolande et mon frère Hector qui auront l'administration des biens jusqu'à la date de la remise desdits biens ci-après stipulée. Les fiduciaires utiliseront le capital et les revenus des biens en fiducie pour le paiement des dépenses d'instruction ou d'éducation de l'un quelconque des bénéficiaires. Ils devront toutefois remettre le capital des biens en fiducie avec les revenus accumulés à mes bénéficiaires, en parts égales, lorsque le plus jeune d'entre eux aura atteint l'âge de 18 ans. »

Le legs conditionnel

Il est assorti d'une condition que doit respecter le légataire pour pouvoir toucher l'objet du legs.

▶ **EXEMPLE**

« Je lègue à mon épouse Gloria mes actions dans la compagnie XYZ inc. à la condition qu'elle renonce à tous ses droits dans le patrimoine familial. »

Voilà, ce ne sont là que quelques exemples de legs que nous rencontrons fréquemment dans les testaments rédigés par des notaires. Loin de moi toutefois l'idée de prétendre que nous avons examiné toutes les possibilités de clauses de legs qui peuvent être utilisées par les testateurs. Chaque testament est unique. Il doit comporter des dispositions qui reflètent les volontés et la situation particulière de son auteur. Pour un même individu, il est souvent possible de concevoir de nombreux scénarios pour la distribution de ses biens à son décès.

Les seules limites nous sont dictées par les règles d'ordre public et par certaines dispositions du Code civil du Québec.

LES LEGS PROHIBÉS

- Le legs fait au témoin est sans effet.
- Celui fait au notaire, au conjoint du notaire ou à l'un de ses parents au premier degré est nul.
- Le legs au propriétaire, à l'administrateur ou au salarié d'un établissement de santé ou de services sociaux qui n'est ni le conjoint ni un proche parent du testateur est sans effet s'il a été fait à l'époque où le testateur y était soigné ou y recevait des services. Il en serait de même du legs fait au membre de la famille d'accueil à l'époque où le testateur y demeurait.

Enfin, le legs qui serait assorti d'une condition contraire aux bonnes mœurs ou à l'ordre public serait valable mais la condition devrait être ignorée. Elle serait en fait réputée non écrite. Il en serait ainsi du legs fait à une personne à la condition qu'elle soit de religion catholique ou à la condition qu'elle ne se remarie pas.

LA QUESTION DU LIQUIDATEUR

Une fois que vous avez déterminé qui seront vos légataires et que vous avez établi comment vos biens seront partagés lors de votre décès, il vous faudra bien choisir un ou des liquidateurs pour orchestrer le tout. Vous devrez même prévoir le remplacement d'un liquidateur qui serait incapable d'agir, soit parce qu'il refuse sa charge ou qu'il n'est plus en état de l'exercer. Tentons maintenant d'apporter une réponse aux questions qui peuvent surgir à notre esprit lorsque nous devons arrêter notre choix.

UN OU PLUSIEURS?

La plupart des successions peuvent être réglées efficacement par un seul liquidateur. Toutefois, certaines successions importantes ou particulières peuvent justifier la nomination de plusieurs liquidateurs. Sachez toutefois que le Code civil du Québec stipule que lorsque plusieurs personnes exercent ensemble la charge de liquidateur, elles devront agir de concert, à moins qu'elles n'en soient dispensées par les dispositions du testament du défunt ou, si ce dernier est décédé sans testament, par les héritiers. Afin de ne pas paralyser le règlement d'une succession, il sera alors préférable de nommer un, trois ou cinq liquidateurs et de prévoir que les décisions se prendront à la majorité.

QUI CHOISIR?

Habituellement, le testateur va préférer avec raison nommer comme liquidateur un de ses légataires. Dans la mesure où l'on estime que la charge ne sera pas trop lourde pour la personne désignée, il est fort approprié de songer d'abord à des héritiers de la succession. Ce pourrait être également un ami qui a des habiletés pour exercer cette fonction. Nous pouvons enfin songer à un professionnel du milieu des affaires, comptable, avocat, notaire. Retenez cependant que l'exercice de la charge de liquidateur ne nécessite pas de compétences particulières. Une personne honnête en qui vous avez pleinement confiance fera très bien l'affaire. La plupart du temps le liquidateur fera appel aux services d'un notaire pour régler les aspects légaux et techniques de la succession. Bien souvent, il n'aura qu'à approuver le travail fait par le notaire à chacune des étapes du règlement de la succession.

Un mot sur les sociétés de fiducie qui peuvent exercer la charge de liquidateur et qui vantent souvent la valeur de leur expertise dans le règlement des successions. Il arrive même qu'elles soient disposées à vous offrir d'assumer les frais et honoraires pour la préparation de votre testament, si, bien entendu, vous acceptez de leur confier au moins partiellement le règlement de votre succession. Avant d'accepter ces offres, prenez bien note des coûts qui seront facturés à votre succession par l'institution financière. Vous verrez que leur expertise a un prix qui s'avère bien souvent fort élevé. Je pense que certaines situations particulières peuvent justifier et même nécessiter la nomination d'une société de fiducie comme liquidateur mais, à mon point de vue, il s'agit de cas tout à fait exceptionnels. Votre notaire saura sûrement vous

suggérer d'envisager cette solution s'il estime que votre succession en tirerait un quelconque avantage.

DOIT-ON LE RÉMUNÉRER?

Le Code civil du Québec reconnaît au liquidateur qui n'est
pas héritier le droit à une rémunération juste et raisonnable
pour l'exécution de sa charge. Le testateur a donc tout intérêt
à déterminer lui-même quelle sera cette rémunération. Si
elle n'a pas été fixée par le testateur, elle le sera par les héritiers ou, en cas de désaccord, par un tribunal. Afin d'éviter
une judiciarisation inutile du règlement de la succession, il
est donc conseillé d'insérer au testament des dispositions
établissant la rémunération de tout liquidateur qui n'est pas
héritier.

Par ailleurs, si le liquidateur figure au nombre des héritiers, il peut quand même être rémunéré. Il faudra alors que
le testament y pourvoie ou que les héritiers en conviennent.

N'oubliez pas enfin que le liquidateur a toujours droit au
remboursement des dépenses faites dans l'accomplissement
de sa charge, qu'il soit rémunéré ou pas.

DOIT-IL ACCEPTER SA CHARGE?

Le liquidateur peut toujours renoncer à sa charge, à moins
qu'il ne soit le seul héritier.

LES AUTRES DISPOSITIONS

La majeure partie du contenu d'un testament s'articule
autour des clauses de legs et des dispositions concernant les
liquidateurs. Il y a toutefois plusieurs clauses usuelles que

nous retrouvons dans les testaments et qui répondent à des besoins spécifiques. Nous allons examiner celles que nous rencontrons le plus souvent en pratique. Retenez cependant que ce qui suit ne constitue qu'une approche sommaire des dispositions les plus usuelles et qu'il s'agit d'une étude nécessairement incomplète de ce qui peut être compris dans un testament.

CLAUSE DE FUNÉRAILLES

Chaque personne peut exprimer par écrit ou verbalement ses volontés relativement à ses funérailles et à la manière dont on disposera de son corps à son décès. Il est fréquent de retrouver des dispositions à cet effet dans le testament d'une personne bien que ce ne soit pas l'écrit le plus pratique pour le faire. En effet, il n'est pas certain que l'on pourra aisément au jour du décès prendre connaissance des volontés du défunt si ces dernières sont dans son testament. Il serait probablement préférable de laisser à un endroit assez facile d'accès nos désirs à cet égard et d'en informer nos proches.

CLAUSE RÉVOQUANT LES DISPOSITIONS TESTAMENTAIRES ANTÉRIEURES

Très souvent les testaments renferment une clause établissant que le testateur entend révoquer les dispositions testamentaires antérieures au testament qui contient cette stipulation. Bien que non essentielle, cette disposition vient confirmer l'intention du testateur. Rappelez-vous également que le fait de rédiger un nouveau testament emporte révocation de tout autre testament fait auparavant.

CLAUSE PRÉVOYANT LA NOMINATION D'UN TUTEUR

Il est maintenant possible de nommer un tuteur à un enfant mineur dans un testament. Cependant, étant donné que le père et la mère sont d'office tuteurs de leur enfant, le droit de nommer un tiers comme tuteur ne vaudra que pour le dernier mourant des père et mère. Dans le cas où le père et la mère décéderaient en même temps, en ayant chacun désigné une personne différente comme tuteur, c'est le tribunal qui aura pour tâche de trancher et de choisir qui exercera la charge.

CLAUSES À INCIDENCE FISCALE

Plusieurs dispositions testamentaires ont comme principal objectif de réduire la masse des impôts qui seront payables à la suite du décès du testateur. D'abord, le liquidateur doit avoir les pleins pouvoirs pour faire des choix fiscaux qui, en certaines circonstances, vont réduire la facture fiscale du testateur, de la succession ou des héritiers sans pour autant modifier la distribution des actifs voulue par le défunt. Ensuite, l'attribution de certains biens comme les REER et les FERR à certaines personnes plutôt qu'à d'autres peut permettre de retarder ou de réduire le montant des impôts à payer suite au décès et l'utilisation judicieuse des legs en fiducie ou en substitution pourra engendrer des économies d'impôt substantielles. Le testament doit donc contenir un certain nombre de clauses qui auront pour but de tirer profit de nos lois fiscales et d'assurer une transmission harmonieuse des biens aux héritiers.

LA MISE À JOUR DU TESTAMENT

La rédaction d'un testament tout comme l'élaboration d'une stratégie financière ne sont valables que pour une période de temps limitée. Il est bien difficile, voire inutile, de tenter de prévoir dans quel contexte familial ou financier nous vivrons dans 10 ou 15 ans et de vouloir régler à l'avance toutes les situations dans son testament. C'est pour cette raison et parce que les lois fiscales changent constamment que nous devrons occasionnellement mettre à jour notre testament. Voyons maintenant de quelle manière procéder.

LA MODIFICATION TESTAMENTAIRE

Il s'agit d'un document qu'on appelait autrefois le codicille et qui a pour but de modifier le contenu d'un testament antérieur. Pour avoir une idée précise des volontés d'un testateur, il y a lieu d'examiner son dernier testament avec, s'il y a lieu, les modifications testamentaires à ce testament qui n'ont pas été révoquées. Bien souvent on optera plutôt pour la rédaction d'un nouveau testament plutôt qu'un codicille, et ce, afin d'éviter toute confusion et tout problème d'interprétation.

LA RATURE DE CERTAINES DISPOSITIONS

Si elle est faite sur un testament olographe ou devant témoins, elle emportera révocation du legs qui y est fait. Ce ne sera toutefois pas le cas si le testament est notarié, car c'est l'original qui prévaut et rappelez-vous que ce dernier est entre les mains du notaire. Il ne peut jamais s'en départir sauf sur un ordre d'un tribunal et pour des raisons bien spécifiques déterminées par la loi.

Plutôt que de raturer des dispositions à son testament, il serait davantage approprié de le faire à nouveau. Cela évitera de s'exposer à des possibilités de contestation judiciaire de la part du légataire déchu et éliminera certains problèmes d'interprétation possibles.

LA RÉVOCATION DU TESTAMENT

La révocation d'un testament peut être tacite, c'est-à-dire découler d'une situation de fait ou d'un comportement du testateur ou elle peut être expresse lorsqu'il y a mention spécifique du désir de révocation dans un acte ultérieur.

Sachez d'abord qu'il n'est pas nécessaire que le testament qui en révoque un autre soit dans la même forme que celui qui fait l'objet de révocation. En effet, un testament olographe pourrait très bien révoquer un testament fait précédemment devant notaire.

Outre le cas où il y a rature de certaines dispositions dans un testament olographe ou devant témoins comme on l'a vu plus haut, il y a également révocation tacite lorsqu'une nouvelle disposition testamentaire est incompatible avec une disposition antérieure. La destruction, lacération ou la rature du testament qui n'est pas fait devant notaire emporte également révocation tacite s'il est établi qu'elle a été faite délibérément par le testateur ou sur son ordre. Il en serait de même lorsqu'un testateur n'a rien fait pour remplacer son testament, sachant pertinemment que ce dernier est perdu ou détruit.

CONSEILS PRATIQUES

Avertissez vos proches

Le testament devrait rester confidentiel jusqu'au jour du décès de son auteur. Cependant, s'il s'agit d'un testament olographe ou devant témoins, il faudra s'assurer qu'il ne soit pas introuvable après le décès. Pour éviter cette situation, informez vos proches de l'endroit où vous l'avez déposé afin qu'ils puissent en prendre connaissance au moment opportun. Un coffret de sûreté est l'endroit par excellence pour déposer un testament. Il permet de mettre le document à l'abri des regards indiscrets et assure sa protection. Cependant, avant d'y déposer votre testament, assurez-vous que vos héritiers pourront y avoir accès rapidement au moment de votre décès. Certaines institutions financières ne permettent l'ouverture du coffret qu'après que des preuves officielles du décès aient été fournies. Or il peut s'écouler quelques semaines avant que l'acte de décès émanant du directeur de l'état civil ne soit disponible.

On peut également demander à un notaire de déposer au nombre de ses minutes un testament fait sous forme olographe ou devant témoins. Sachez toutefois que cette procédure de conservation n'est pas très populaire, car vous devrez payer des honoraires pour en profiter et que, de toute manière, cela ne vous dispensera pas du devoir de faire homologuer le testament après le décès. Le testament notarié n'exige pas de telles mesures de sécurité, car c'est le notaire qui détient l'original et que le testament est facilement retraçable après le décès ayant été enregistré dans le registre approprié de la Chambre des notaires du Québec.

Soyez prévoyant

Lorsque vous léguez vos biens à une ou plusieurs personnes, prévoyez les cas de caducité possibles. Par exemple, si je lègue tous mes biens à mes trois enfants et qu'il arrive que l'un d'entre eux me prédécède, est-ce que je désire que la part de mon enfant prédécédé soit remise à ses propres enfants ou qu'elle soit répartie entre les survivants de mes enfants? Dans le premier cas, on dira qu'il y aura représentation en cas de prédécès alors que dans l'autre cas on parlera plutôt d'accroissement de parts. Par ailleurs, si je n'ai qu'un seul légataire universel de nommé au testament et que ce dernier me prédécède, à qui seront remis les biens? Rappelez-vous que le décès d'un légataire entraîne la caducité du legs et que l'on peut se retrouver en présence d'une succession « ab intestat » si la situation n'a pas été prévue et réglée au testament.

Faites l'inventaire de vos biens

Afin de faciliter la tâche de votre liquidateur, mettez à sa disposition un inventaire de vos biens. Cela lui évitera d'oublier certains actifs ou de devoir effectuer des recherches inutiles. Informez votre liquidateur de l'endroit où il pourra prendre possession de l'inventaire et faites-lui part de vos volontés à propos de vos funérailles, sépulture et inhumation.

QUESTIONS ET RÉPONSES

QUESTION
Mon avocat m'a offert de préparer mon testament. Pourrais-je ainsi éviter les frais d'homologation?

RÉPONSE

Pas du tout. Vous devrez verser des honoraires à votre avocat pour la préparation de votre testament et, au jour de votre décès, votre succession devra assumer les frais judiciaires et les honoraires d'avocat ou de notaire pour l'homologation du testament fait devant témoins. Seul l'acte notarié n'a pas à être homologué par le tribunal.

QUESTION

Puis-je déshériter certains de mes enfants ou mon épouse?

RÉPONSE

Tout à fait. Il vous faudra toutefois tenir compte des droits éventuels de votre épouse qui découlent de votre régime matrimonial, des règles du patrimoine familial et de celles pouvant lui permettre de réclamer à la succession une prestation compensatoire ou des aliments. N'oubliez pas que vos enfants ont également droit à des aliments en certaines circonstances et que la succession pourrait donc être appelée à leur verser certaines sommes d'argent même s'ils ne figurent pas parmi vos héritiers.

QUESTION

Qu'arrivera-t-il à mon décès des sommes prêtées à certains de mes enfants?

RÉPONSE

Si vous avez pris soin de rédiger des documents établissant clairement ces créances que vous pourriez avoir à l'encontre de vos enfants, la tâche de votre liquidateur sera grandement facilitée. En effet, il pourra alors réclamer au nom de la succession les sommes dues et, par la suite, il remettra à chacun sa part d'héritage lui revenant selon les termes du testament.

QUESTION
Depuis la rédaction de mon testament, j'ai vendu l'auto-mobile que j'avais léguée à Pierre. Que se passera-t-il à mon décès?

RÉPONSE
Ce legs sera pour ainsi dire réputé non écrit. En effet, le legs fait dans un testament est caduc lorsque le bien qui en fait l'objet a été vendu ou qu'il a péri du vivant du testateur. Le legs est également caduc lorsque le légataire n'a pas survécu au testateur et que la loi ou le testament n'a pas prévu la représentation en cette éventualité. Le legs est enfin privé d'effet lorsque le légataire le refuse.

QUESTION
J'ai nommé mon épouse légataire universelle et liquidatrice de mes biens advenant mon décès. Nous avons divorcé depuis la rédaction de mon testament. Qu'advient-il de ces dispositions testamentaires?

RÉPONSE
Le Code civil du Québec nous dit, à cet égard, que le legs qui est fait au conjoint antérieurement au divorce est révoqué, à moins que le testateur n'ait manifesté son intention d'avantager ce conjoint malgré l'éventualité du divorce par des dispositions de son testament. Puis il ajoute que la révocation du legs en faveur du conjoint emporte celle de liquidateur de la succession. Or il semble qu'actuellement la portée de ces dispositions du Code civil du Québec ne soit pas bien déterminée et que certains juristes formulent des interprétations contradictoires à l'égard du sens à donner à ces articles.

Évitez donc d'exposer votre succession à des frais judi-ciaires et clarifiez vous-même la situation en rédigeant un nouveau testament après le divorce. Cela vous évitera de douter de la validité juridique des dispositions de votre testament et vous permettra d'adapter ce dernier à votre nouvelle situation.

QUESTION
Je viens de déménager. Dois-je modifier mon testament ou informer mon notaire de ma nouvelle adresse ?

RÉPONSE
Il n'est pas nécessaire d'amender le testament ni d'informer le notaire de votre nouvelle adresse bien que ce dernier puisse apprécier d'avoir ces informations pour mettre à jour ses dossiers.

LA LIQUIDATION D'UNE SUCCESSION EN 13 ÉTAPES

> « Il venait de toucher l'héritage d'un oncle : "Mon oncle
> et moi sommes entrés dans une vie meilleure." »
>
> ALPHONSE ALLAIS

Depuis le 1ᵉʳ janvier 1994, on ne parle plus du « règlement »
d'une succession mais plutôt de sa « liquidation ». En effet, le
Code civil du Québec a modifié considérablement le droit
des successions et a imposé une nouvelle terminologie davantage en accord avec les nouvelles règles.

Toutefois, la finalité des opérations demeure la même. La
liquidation d'une succession consiste à prendre les mesures
nécessaires pour en arriver à une transmission du patrimoine
d'un défunt à ses héritiers. Ces mesures sont d'ordre financier, juridique et fiscal et elles doivent être prises dans un
certain ordre chronologique pour obtenir le résultat souhaité.

Il faut compter environ six mois à un an pour liquider
une succession. Lorsque cette dernière s'avère fort simple, le
délai peut être plus court. Par ailleurs, des successions plus
complexes peuvent exiger plusieurs années avant d'être complètement terminées.

Nous avons voulu vous familiariser avec les différentes étapes à respecter lors de la liquidation d'une succession. Vous trouverez donc ci-après un aperçu des opérations requises, le tout présenté d'une manière simple, logique et chronologique.

ÉTAPE 1 : LA RECHERCHE DU TESTAMENT

Dans la mesure où le défunt a laissé des instructions écrites ou verbales à propos de ses funérailles, sépulture et inhumation, il devient moins urgent de tenter de retracer son dernier testament. Au contraire, si la personne décédée n'a pas pris la peine d'informer ses proches de ses désirs à cet égard, la lecture du dernier testament du défunt est nécessaire avant de contracter les arrangements funéraires car elle peut nous renseigner sur ses volontés en cette matière.

La recherche du dernier testament doit être effectuée principalement à deux endroits :

- Dans les papiers personnels du défunt (tiroirs, dossier de papiers importants, coffret de sûreté, etc.).
- Dans les registres officiels. Le premier est celui de la Chambre des notaires du Québec et il permet de découvrir un testament notarié reçu par un notaire depuis le 1er janvier 1961, de même qu'un testament olographe ou fait devant témoins qui aurait été déposé au nombre des minutes d'un notaire. Le second registre officiel existe depuis le 1er décembre 1979 et il est tenu par le Barreau du Québec. Ce dernier garde les inscriptions des testaments olographes ou devant témoins déposés chez un avocat. Pour effectuer ces recherches testamentaires vous devrez remplir les for-

mulaires réglementaires et expédier le tout à l'organisme professionnel concerné avec une preuve officielle du décès et les frais requis.

CONSEILS

Faites la recherche testamentaire le plus tôt possible

Exécutez cette demande dès que vous aurez reçu du Directeur de l'état civil l'acte de décès du défunt qui constitue la preuve officielle que la personne est décédée, car il pourrait s'écouler jusqu'à deux mois avant que vous n'ayez reçu les réponses à vos demandes. Or certaines étapes de la liquidation de la succession ne pourront être exécutées tant que la recherche testamentaire n'aura pas été complétée.

Obtenez plusieurs copies de l'acte de décès

Lorsque vous demanderez au Directeur de l'état civil la preuve officielle du décès, assurez-vous d'obtenir autant d'exemplaires qu'il peut y avoir de tiers intéressés dans la succession. Il vous faudra notamment remettre un acte de décès à chaque institution financière, compagnie d'assurance-vie, agent de transfert de valeurs mobilières, etc. De plus, chaque registre exige ce document avant d'effectuer toute recherche et, s'il y a lieu, il faudra fournir à la cour cette preuve officielle du décès si l'on désire faire homologuer un testament.

Procurez-vous les documents officiels

Ne vous méprenez pas, le certificat de décès qui est parfois remis par les directeurs de funérailles aux familles des défunts n'a aucune valeur sur le plan légal. Seul l'acte de décès émis par le Directeur de l'état civil bénéficie de l'authenticité et constitue une preuve irréfutable d'un décès.

Faites l'inventaire du coffret de sûreté

Si le défunt était le locataire d'un coffret de sûreté dans une institution financière, il faudra en récupérer le contenu le plus rapidement possible. On pourrait y trouver un dernier testament qui aurait pour effet de révoquer ceux qui ont été faits antérieurement de même qu'un certain nombre de biens qui pourraient faire partie de l'actif successoral. Bien qu'il n'y ait plus de formalité particulière à respecter pour récupérer le contenu d'un coffret de sûreté, il peut être souhaitable pour le liquidateur, ou pour le successible qui peut y avoir accès, de dresser en présence de témoins une brève liste de ce que l'on peut y retrouver. Plusieurs personnes ayant l'habitude d'y déposer des biens de valeur, l'inventaire du coffret de sûreté aura pour principal effet de protéger de toute suspicion la personne qui en a réclamé l'ouverture.

Ne négligez pas de faire une recherche testamentaire

Vous avez découvert parmi les papiers du défunt un testament notarié, olographe ou devant témoins et vous croyez être en possession des dernières volontés de la personne décédée? Méfiez-vous et effectuez quand même une recherche aux registres officiels pour confirmer vos impressions. Il m'est arrivé en pratique de rencontrer des gens qui en étaient à leur 3e, 4e ou même 5e testament.

Retracez le contrat de mariage

N'oubliez pas que plusieurs contrats de mariage contiennent des dispositions testamentaires communément appelées « clauses au dernier vivant les biens ». Pour retracer le contrat de mariage d'une personne décédée, on peut consulter les actes notariés (actes de vente, hypothèque, testament) que cette personne a signés au cours de sa vie. La plupart du temps on y retrouvera une mention de l'état civil et du régime matrimonial des parties à l'acte. On peut aussi contacter le notaire du défunt ou son successeur qui pourrait nous fournir des indications à cet égard. Bien souvent le certificat de mariage fait également état du fait qu'une personne a ou n'a pas signé de contrat de mariage avant la célébration officielle. Enfin, en désespoir de cause, une recherche au Registre des droits personnels et réels mobiliers pourrait s'avérer utile pour découvrir un contrat de mariage signé après le 1er juillet 1970.

ÉTAPE 2 : LES MESURES URGENTES

Parmi les choses à entreprendre rapidement, notons celles qui ont un lien avec la résidence du défunt. En effet, il faudra se débarrasser rapidement des biens périssables et prendre des mesures rapides pour protéger certains biens ou s'assurer que leur entretien ne fera pas défaut. On devra aussi songer à vendre les biens qui sont dispendieux à conserver ou qui sont susceptibles de se déprécier rapidement. On pourra également commencer à libérer les lieux loués par le défunt en distribuant, avec l'accord des successibles, les vêtements, papiers personnels, décorations et diplômes du défunt ainsi que ses souvenirs de famille. Retenez que le fait de faire ces gestes urgents ne pourra être interprété contre vous, en ce sens qu'on ne pourra en déduire une acceptation tacite de la succession. Il s'agit d'actions qui, de toute évidence, touchent des biens de peu de valeur et qui doivent être exécutées rapidement.

QUE FAIRE DU BAIL?

Le décès ne met pas fin de plein droit au bail d'un logement signé par le défunt. En effet, c'est la succession qui, à compter du décès du locataire, se voit investie de tous les droits et obligations de la personne décédée. Si cette dernière habitait seule, la succession pourra résilier le bail en donnant au locateur, dans les six mois du décès, un avis de trois mois. Nous considérons ces mesures à prendre relativement au bail comme étant assez urgentes afin de pouvoir circonscrire assez rapidement les responsabilités de la succession à cet égard. Évidemment, on pourrait opter plutôt pour une sous-location du bien ou une cession du bail. Retenez toutefois que la cession de bail serait préférable pour la succession à la sous-location, car elle entraîne la fin de ses obligations de locataire, ce qui n'est pas le cas pour la sous-location. Dans les deux cas toutefois, il faudra s'assurer du consentement du locateur qui ne peut refuser que s'il a un motif sérieux pour le faire. Sachez de plus que si le locateur ne répond pas à une demande de sous-location ou de cession de bail dans les 15 jours de la réception de l'avis, il sera réputé y avoir consenti.

Si le défunt n'habitait pas seul au jour de son décès, la personne qui partageait avec lui les lieux loués pourra continuer d'occuper le logement pour autant qu'elle avise le locateur de son intention dans les deux mois du décès. Cependant, si elle ne se prévaut pas de ce droit, le liquidateur de la succession ou, à défaut, un héritier, peut, dans le mois qui suit l'expiration de ce délai de deux mois, résilier le bail en donnant au locateur un avis d'un mois.

Si la personne décédée vivait en centre d'accueil, en centre hospitalier ou dans tout autre établissement gouvernemental détenteur d'un permis délivré en vertu de la Loi sur les services de santé et les services sociaux, la responsabilité de la succession se limite à assumer les frais d'hébergement jusqu'au moment du décès. Par ailleurs, lorsque le défunt habitait un autre type de centre d'hébergement ou de résidence, il faudra se référer au bail pour connaître l'étendue des obligations de la succession.

ÉTAPE 3 : L'HOMOLOGATION DU TESTAMENT

Les dernières dispositions testamentaires du défunt se retrouvent dans un contrat de mariage ou dans un testament notarié ? Dieu soit loué ! Vous pourrez sauter cette étape qui a pour but de faire homologuer un testament fait sous forme olographe ou devant témoins.

En fait, il s'agit d'une procédure qui sert à faire reconnaître par l'autorité judiciaire que le testament qui n'est pas reçu devant notaire répond aux règles de forme édictées par le Code civil du Québec. Elle est initiée habituellement par le liquidateur ou par une personne intéressée à la liquidation de la succession et elle s'exécute par voie de requête déposée à la cour supérieure du district dans lequel était domiciliée la personne décédée.

Elle comporte une exigence qui se veut assez lourde de conséquence. En effet, elle doit être signifiée à tous les héritiers et successibles connus afin que ces derniers puissent être informés de la démarche entreprise et qu'ils puissent intervenir, si tel est leur désir. On comprend tout de suite que simplement en frais judiciaires et en frais de signification, il s'agit d'une procédure qui peut s'avérer assez coûteuse. C'est d'ailleurs pour cette raison qu'il est permis au tribunal de dispenser le requérant d'aviser toutes ces personnes lorsqu'il s'avère peu pratique ou trop onéreux d'agir ainsi.

L'officier de justice ne se prononcera sur le bien-fondé de la requête que lorsque le dossier sera complet. Vous devrez donc vous assurer que la procédure sera accompagnée des pièces suivantes :

- le testament original ;
- le certificat de décès qui est délivré par le Directeur de l'état civil ;
- une déclaration solennelle ou faite sous serment attestant de l'authenticité de la signature et, s'il y a lieu, de celle de l'écriture de la personne décédée ;
- une preuve de l'avis expédié aux héritiers et aux successibles.

CONSEILS

Évitez des frais supplémentaires

Avant d'entreprendre la procédure d'homologation d'un testament qu'on appelle également la demande de vérification d'un testament, assurez-vous d'avoir en main le dernier testament du défunt. En effet, il s'agit d'une procédure assez coûteuse qu'il faut éviter de devoir reprendre. Attendez donc les résultats des recherches testamentaires faites à la Chambre des notaires du Québec et au Barreau du Québec avant de donner mandat à un juriste de procéder à la rédaction des procédures.

Obtenez le nombre de copies nécessaires

Dès que la requête aura été entendue et qu'une décision favorable aura été rendue, demandez l'émission d'autant de copies conformes du jugement qu'il peut y avoir de tiers qui sont intéressés à la succession. En effet, chaque institution financière, compagnie d'assurance-vie ou agent de transfert en valeurs mobilières voudra avoir à son dossier une copie authentique de la décision et du testament reconnu valable quant à sa forme.

Entamez les procédures rapidement

Prévoyez des frais et honoraires de plusieurs centaines de dollars si le travail est exécuté par un juriste et un délai de quelques mois avant de recevoir le résultat de la demande. Vous avez donc tout intérêt à entamer sans attendre cette procédure si vous souhaitez liquider la succession dans un délai raisonnable.

ÉTAPE 4 : DÉTERMINATION DU PATRIMOINE DU DÉFUNT

Pour que les successibles puissent opter pour l'acceptation ou le refus de la part d'héritage qui leur est dévolue, il faut qu'ils soient en mesure d'identifier assez précisément la valeur de l'actif successoral. Le liquidateur ou les responsables de la liquidation de la succession devront donc ramasser et colliger toutes les informations pertinentes pour que chaque personne appelée comme successible puisse prendre une décision éclairée. Cette étape est très importante puisqu'elle permettra de dresser l'inventaire des biens requis par la loi.

Il vous faudra donc dans un premier temps rassembler tous les documents qui peuvent être utiles pour identifier l'actif et le passif de la succession. Ainsi vous devrez retracer parmi les papiers du défunt tout ce qui peut servir à définir le patrimoine de la personne décédée et toutes les pièces qu'il faudra prendre en compte lors de la liquidation de la succession. De manière non exhaustive, voici une liste des documents importants qu'il vous faudra mettre de côté :

- Les titres de propriété pour tout immeuble appartenant au défunt. Les actes d'hypothèques immobilières et les derniers relevés de taxes foncières pour ces immeubles.
- Les dernières déclarations fiscales du défunt ainsi que les avis de cotisation s'y rapportant.
- Tout jugement de divorce, de séparation judiciaire, d'établissement ou de révision de pension alimentaire ou tout autre jugement pouvant avoir un certain impact sur la valeur d'une succession ou pouvant affecter les droits d'un successible.
- Un acte de renonciation au partage du patrimoine familial.
- Les comptes bancaires, les relevés de comptes préparés par les courtiers en valeurs mobilières ou les compagnies de fonds d'investissement, les titres au porteur et les actions immatriculées au nom du défunt.
- Les cartes de crédit, d'assurance-sociale, d'assurance-maladie, de guichet automatique, le permis de conduire, les certificats d'immatriculation de véhicules automobiles.
- Les contrats de société, conventions d'actionnaires, déclarations fiscales ou tout autre document pouvant vous permettre d'évaluer les intérêts d'une personne décédée dans une entreprise commerciale.

- Les informations à propos des droits d'auteur, brevets d'invention, marques de commerce, droits litigieux, réclamations et actions en dommages intérêts dans lesquels le défunt pourrait avoir un intérêt.
- Les relevés de fonds de pension, de régimes enregistrés divers et les documents émanant de l'employeur du défunt qui pourraient vous permettre d'identifier des actifs payables à la succession.
- Les contrats d'assurance-vie, d'assurance de dommages, de rentes viagères ou à terme.
- Les comptes à payer, relevés de prêts personnels ou de tout autre engagement financier contracté par le défunt.

Bref, on devra passer au peigne fin tous les papiers personnels du défunt et déterminer dans quelle mesure chacun d'eux peut avoir une certaine utilité dans le processus de la liquidation de la succession. Rien ne doit être négligé. Retenez que la liste des biens ci-dessus ne couvre que les documents usuels et que nous n'avons pas la prétention d'avoir relevé tout ce qui doit recevoir considération. Il vous faudra probablement jouer au détective pour identifier toutes les pièces du casse-tête.

Ensuite, il vous faudra communiquer avec chaque tiers concerné pour fixer la valeur à attribuer à chaque élément d'actif ou de passif. En effet, vous devez déterminer avec précision ce que chaque bien (compte de banque, action, obligation, parts de fonds commun de placement, véhicule automobile, fonds ou droits divers, etc.) valait au jour du décès. Vous devrez également faire de même pour toutes les dettes du défunt.

QUESTIONS ET RÉPONSES

QUESTION

Étant donné que l'on doit évaluer tous les biens laissés par le défunt, comment doit-on procéder pour le mobilier d'une résidence?

RÉPONSE

On peut faire appel à un expert en évaluation. Toutefois, afin de limiter les frais, dans plusieurs cas il serait préférable de s'entendre avec les successibles pour adopter une méthode d'évaluation simple et objective. À titre d'exemple, on pourrait dresser une liste des meubles ou des groupes d'objets retrouvés dans la maison. Par la suite, chaque successible serait appelé à attribuer une valeur marchande pour chaque bien. Enfin, il s'agirait d'établir une valeur moyenne pour chaque bien ou groupe de biens.

Ces données nous seront d'une grande utilité lorsque nous devrons dresser l'inventaire des biens et on pourra y recourir également lorsque nous serons rendus à l'étape où il faut partager les biens entre les héritiers.

QUESTION

On sait que lorsqu'une personne décède, les sommes qui sont déposées dans ses comptes bancaires ne peuvent être retirées avant que le liquidateur ou les héritiers ne soient en mesure de fournir à l'institution financière les documents usuels requis pour opérer le transfert des actifs en faveur de la succession. Mais qu'en est-il des comptes conjoints?

RÉPONSE

Ils doivent également être évalués et ils font partie de l'actif successoral. En conséquence, il n'est pas souhaitable que des

conjoints ne soient propriétaires que d'un seul compte bancaire commun dans lequel ils déposent toutes leurs économies. Il est préférable qu'en plus du compte conjoint dont
l'utilité peut facilement se justifier, chaque personne ait son
propre compte afin de conserver un accès facile à du capital
d'épargne advenant le décès du conjoint.

QUESTION

Nous sommes persuadés que notre mère possédait une police
d'assurance sur sa vie mais nous n'en avons trouvé aucune
trace parmi ses documents importants. Que faire ?

RÉPONSE

Vous pouvez demander à l'Association canadienne des
compagnies d'assurance de personnes inc. d'effectuer une
recherche auprès de ses membres. Il faudra toutefois attendre
au moins trois mois après le décès avant d'entreprendre une
telle démarche.

CONSEILS

Bien souvent, le liquidateur d'une succession s'occupe adéquatement de la cueillette des informations qui seront nécessaires pour dresser l'inventaire des biens. Mais on remarque
qu'il oublie souvent de donner certains avis qui sont requis
lorsqu'une personne décède. Voici les principaux :

Avis aux compagnies d'assurance

Certaines polices d'assurances comme les assurances-salaire
et l'assurance-invalidité devront être annulées. Par ailleurs, on
devra demander la modification des polices d'assurances de
dommages afin que dorénavant le nom de l'assuré puisse se

lire comme étant la succession de feu(e)... avec l'adresse de correspondance adéquate.

Avis à l'employeur

Cet avis est particulièrement requis lorsque le défunt occupait toujours un emploi au moment de son décès. Il nous permettra de récupérer les sommes qui pourraient être dues au défunt soit à titre de salaires, de remboursement de dépenses, de journées de maladie accumulées et de vérifier si l'employé bénéficiait d'un régime de retraite ou d'un régime d'assurances-groupe.

Annulation des cartes et permis

La carte d'assurance-sociale doit être retournée au fichier central d'immatriculation aux assurances sociales dont l'adresse vous est fournie en annexe. Il en va de même pour la carte d'assurance-maladie du Québec. Toutefois, dans ce dernier cas, c'est habituellement le directeur des funérailles qui s'assure d'effectuer la formalité requise.

N'oubliez pas également de retourner à la Société d'assurance-automobile du Québec le permis de conduire du défunt, car la succession peut avoir le droit de recevoir un remboursement d'une partie des frais payés.

Enfin, toutes les cartes de crédit, de débit ou de guichet automatique, d'hôpital ou autres cartes d'identité devraient être annulées ou détruites.

Annulation des prestations de rentes ou de retraite

La succession a droit à la prestation de la sécurité de la vieillesse pour le mois du décès. Les autorités concernées doivent être informées rapidement du décès du bénéficiaire. Tout chèque émis au nom du défunt doit être retourné afin d'être libellé payable à la succession. Il en va de même pour les prestations de rentes émises par la Régie des rentes du Québec.

D'autres prestations, rentes et indemnités peuvent être réclamées selon les circonstances. Voici un bref relevé des organismes qui, à l'occasion, sont appelés à verser des sommes parfois substantielles à la succession d'un défunt ou à ses proches.

RÉGIE DES RENTES DU QUÉBEC

Cet organisme provincial verse trois types de rentes ou prestations au décès d'une personne qui a cotisé au régime pendant une certaine période de temps. Il s'agit de la prestation de décès, de la rente du conjoint survivant et de la rente d'orphelin.

Prestation de décès

Il s'agit d'une prestation forfaitaire imposable qui est accordée en priorité à la personne qui a acquitté les frais funéraires si elle en fait la demande dans les 60 jours du décès. Après ce délai, elle peut être versée aux héritiers si ces derniers présentent une demande de réclamation avant la personne qui a payé les frais.

Rente de conjoint survivant

Elle est versée en priorité au conjoint marié avec le défunt lorsque leur union n'a pas été l'objet d'une séparation légale. Si le défunt n'était pas marié ou qu'il était séparé légalement, son conjoint de fait peut alors recevoir la rente. Or pour être reconnu conjoint de fait à cet égard, il faut avoir habité avec le cotisant décédé au moins durant les trois années précédant le décès si aucun enfant n'a pu naître de votre union ou n'a pu être adopté par vous, car advenant une telle situation, une seule année de cohabitation pourra suffire.

Retenez enfin que si la personne décédée était séparée légalement le 1er juillet 1989, la rente sera versée au conjoint légitime si aucun conjoint de fait n'a cohabité avec le défunt, qu'il y ait des enfants nés de ce couple ou non.

Rente d'orphelin

Elle peut être versée à l'orphelin de moins de 18 ans si la personne décédée a cotisé au régime le nombre d'années requis.

SOCIÉTÉ D'ASSURANCE-AUTOMOBILE DU QUÉBEC

Lorsqu'une personne meurt des suites des dommages corporels causés par un accident, certaines personnes peuvent avoir droit à diverses indemnités versées sous forme de rente payée à intervalles réguliers ou sous forme de paiement forfaitaire, selon le cas. Essentiellement, il s'agit d'indemnités de décès qui peuvent être réclamées par les proches parents et d'une indemnité forfaitaire payée à la succession afin de défrayer le coût des frais funéraires.

D'abord le conjoint marié et, dans certaines circonstances, le conjoint de fait peuvent recevoir une indemnité dont le montant est établi à partir du revenu brut annuel de la victime et de son âge, avec un seuil minimum. De plus, si la personne décédée laisse des personnes à charge, autres que son conjoint, ces dernières peuvent recevoir un montant d'argent qui est déterminé à partir de leur âge au moment du décès. Sachez également que lorsque la victime n'a pas de conjoint, ses enfants peuvent réclamer l'indemnité qui aurait été normalement versée s'il y en avait eu un. Enfin, lorsqu'une victime décède sans conjoint et sans personne à charge, une indemnité forfaitaire sera versée à la succession s'il s'agit d'une personne majeure ou à ses père et mère, dans le cas contraire.

COMMISSION DE LA SANTÉ ET DE LA SÉCURITÉ DU TRAVAIL

Lorsqu'un décès survient à la suite d'un accident de travail ou d'une maladie professionnelle, le conjoint de la personne décédée ainsi que tout enfant à charge ont droit à certaines indemnités. S'il advenait que la victime n'ait aucune personne à sa charge au moment de son décès, son père et sa mère ou les personnes qui en tiennent lieu peuvent recevoir une indemnité.

Le conjoint qui a le droit à l'indemnité est soit le conjoint marié au défunt qui vit toujours avec lui au moment du décès ou le conjoint de fait qui répond à certains critères. Enfin, dans certaines circonstances l'ex-époux du travailleur ou son ex-conjoint de fait peuvent avoir droit à un certain montant d'argent.

La Commission de la santé et de la sécurité du travail verse également des indemnités lorsqu'une personne décède en accomplissant un acte de civisme ou lorsqu'elle est victime d'un acte criminel. Si vous deviez liquider la succession d'une personne décédée dans ces circonstances, informez-vous des indemnités payables et des conditions particulières d'application en contactant le bureau de la commission le plus près de votre domicile.

En terminant, n'oubliez pas de réclamer d'autres types de prestations ou d'indemnités beaucoup plus rares en pratique mais non moins importantes comme les prestations des anciens combattants, les prestations de décès versées par certains syndicats de travailleurs et les prestations ou indemnités versées par des organismes gouvernementaux des autres provinces ou d'autres pays.

ÉTAPE 5 : LIQUIDATION
DES DROITS MATRIMONIAUX

Comme nous l'avons vu précédemment, il convient, si le défunt était marié, de procéder à la liquidation des droits découlant de son mariage avant de poursuivre plus avant le processus de la liquidation de la succession proprement dite. En fait, ce n'est qu'après avoir réglé la question du patrimoine familial, celle du régime matrimonial et des autres droits matrimoniaux comme la prestation compensatoire qu'on pourra avoir une idée assez précise de la valeur de l'actif successoral à partager.

On s'attardera tout d'abord à liquider le patrimoine familial. Nous avons analysé succinctement dans un chapitre précédent quelles sont les principales règles qui gouvernent l'établissement du patrimoine familial et son partage. Une fois que nous avons bien identifié les biens qui le composent et que nous avons pu évaluer les droits de chacun des époux, il faudra que le conjoint survivant manifeste son intention d'accepter le partage ou d'y renoncer. Il se pourrait cependant que les époux aient décidé de renoncer au partage du patrimoine familial dans la période réglementaire par acte notarié, auquel cas la question de l'option du conjoint survivant n'aurait pas à se poser.

Retenons toutefois que dans la majorité des mariages, le conjoint survivant sera appelé à décider s'il désire se prévaloir de ses droits ou s'il préfère y renoncer. Sachez que la renonciation au partage du patrimoine familial doit être constatée dans un acte notarié portant minute et être publiée au Registre des droits personnels et réels mobiliers. L'acceptation, quant à elle, n'a pas à respecter de formalité particulière bien qu'il puisse être utile de la consigner par écrit.

Le partage du patrimoine familial entraînera normalement l'établissement d'une créance en faveur du conjoint contre la succession qu'il faudra inscrire au passif de cette dernière. On peut donc constater que la liquidation des droits matrimoniaux pourra avoir un impact sur la valeur du patrimoine successoral.

La seconde étape consistera à liquider les droits découlant du régime matrimonial, s'il y a lieu de le faire. Souvenez-vous que les biens qui constituent un actif du patrimoine familial ne doivent pas être soumis à nouveau à la liquidation du régime matrimonial. En effet, une maison qui se qualifie de résidence principale de la famille et de bien composant le patrimoine familial verra son sort tranché au moment de la liquidation du patrimoine familial, peu importe qu'il s'agisse d'un bien acquêt ou d'un bien commun. C'est d'ailleurs pour cette raison qu'il y a lieu de suivre scrupuleusement la chronologie des diverses options qui se présentent au conjoint survivant à l'étape de la liquidation des droits matrimoniaux.

Le conjoint survivant marié au défunt sous le régime de la communauté de biens a le droit de recevoir la moitié des biens composant la communauté sans que son droit d'accepter l'héritage qui lui est dévolu n'en soit affecté. Il peut donc à la fois réclamer ses droits dans le régime matrimonial choisi et accepter ses droits successoraux. En société d'acquêts, le conjoint survivant peut réclamer une créance équivalant à la moitié des droits acquêts de son conjoint décédé et se porter également héritier de la succession s'il le désire. Les règles qui traitent de l'identification, de l'évaluation et de la qualification des biens qui doivent faire partie d'un régime matrimonial sont trop complexes pour que nous puissions en traiter de manière efficace dans le cadre d'un ouvrage comme celui-ci. Il est fortement recommandé de consulter à cette étape un juriste afin de dresser un portrait fidèle des biens à partager, de leur valeur et des choix qui s'offrent au conjoint survivant et aux héritiers de la succession.

Retenez encore une fois que toute renonciation au partage des droits découlant d'un régime matrimonial doit être consignée dans un acte notarié portant minute et être publiée au Registre des droits personnels et réels mobiliers.

Les héritiers du défunt peuvent également être appelés à exercer certaines options dans le cadre de la liquidation du régime matrimonial. Or pour pouvoir porter le titre d'« héritier », il faut avoir accepté la succession. Cependant, normalement les successibles n'ont pas à décider s'ils veulent être héritiers avant d'avoir pu prendre connaissance d'un bilan définitif du patrimoine successoral, lequel est habituellement disponible plus tard dans le processus de liquidation de la succession. Nous devons donc faire face à une situation problématique dont la seule issue possible est de très bien coordonner la liquidation des droits matrimoniaux et celle de la succession. Retenez que tout successible qui décide de renoncer à la succession d'une personne décédée ne devrait jamais participer à la liquidation du régime matrimonial, car seuls ceux qui ont accepté de se porter héritier peuvent le faire.

La liquidation du régime matrimonial aura des répercussions sur la masse successorale des biens à partager, car elle pourra donner naissance à certaines créances à être réclamées par ou contre la succession et faire en sorte d'inclure ou d'exclure certains biens de l'actif ou du passif successoral. Enfin, il ne faudrait pas oublier non plus d'inscrire au bilan de la succession les dettes pouvant faire suite à une réclamation de prestation compensatoire ou de droits à des aliments.

ÉTAPE 6 : IDENTIFICATION DES SUCCESSIBLES

Le Code civil du Québec définit le successible comme étant la personne qui est appelée à une succession « ab intestat » ou celle qui peut recevoir par testament un legs universel ou à titre universel. Le successible a donc le droit d'accepter ou de renoncer à la part d'héritage qui lui est dévolue et s'il décide de l'accepter, il pourra dès lors porter le titre d'héritier.

La distinction est importante à faire, car seuls les héritiers du défunt sont responsables des dettes successorales. Conséquemment, le légataire particulier, qui ne peut être héritier même s'il accepte son legs, n'est pas tenu des obligations du défunt sur les biens légués, à moins que les autres biens de la succession ne suffisent pas à payer les dettes, auquel cas il pourra y avoir réduction de son legs.

Il est donc important à ce stade-ci d'identifier les successibles qui devront bientôt exercer leur option, c'est-à-dire accepter ou renoncer à leurs droits dans la succession. Lorsque la personne décédée laisse un dernier testament dans lequel elle dispose de tous ses biens ou une clause d'institution contractuelle dans un contrat de mariage, il peut être assez facile de déterminer quels seront les successibles. Par ailleurs, il se peut que le legs soit privé d'effet pour diverses raisons dont les principales sont les suivantes :

- le légataire n'a pas survécu au testateur;
- le légataire et le testateur sont décédés en même temps;
- le légataire est indigne de succéder.

Dans tous ces cas on parle de «caducité» du legs et les biens devront alors être attribués à de nouvelles personnes qui sont habituellement identifiées dans le testament. S'il est muet à cet égard il faudra souvent recourir à certaines règles comme celles de la représentation ou de l'accroissement pour identifier les successibles. Dans d'autres cas, on devra faire appel aux règles des successions «ab intestat» pour connaître ceux qui pourront éventuellement se porter héritiers.

Lorsqu'on est en présence d'une succession testamentaire comportant des legs atteints de caducité ou de nullité ou lorsqu'on doit faire intervenir les règles de dévolution des successions «ab intestat», on a tout intérêt à consulter un juriste qui nous aidera à identifier adéquatement les successibles. Cette tâche est fort complexe et nécessite la plupart du temps l'application de dispositions du Code civil du Québec qui ne sont pas parmi les plus simples et qui doivent être interprétées correctement.

CONSEIL

Il est de mise que le liquidateur remette à chacun des successibles une copie du testament du défunt. Cette manière de procéder a pour but de remplacer la traditionnelle lecture du testament qui ne se fait plus en pratique et d'informer adéquatement les intéressés de l'étendue de leurs droits successoraux et des dernières volontés du défunt.

ÉTAPE 7 : NOMINATION D'UN LIQUIDATEUR

Si le testament a pourvu à la nomination d'un liquidateur et que ce dernier a déjà accepté sa charge, on pourra passer immédiatement à l'étape suivante.

Cependant, il se pourrait fort bien que l'on soit en présence d'une succession « ab intestat » ou que le liquidateur nommé au testament et son remplaçant, s'il y a lieu, refusent d'exercer cette fonction. Advenant une telle situation, les héritiers tous ensemble devront liquider la succession à moins qu'ils ne préfèrent désigner un tiers ou l'un d'entre eux comme liquidateur.

La nomination d'un liquidateur par les héritiers ne nécessite pas de formalités particulières bien qu'un document écrit puisse être nécessaire pour établir aux yeux des tiers la légitimité de celui qui se présente comme l'administrateur de la succession.

Le liquidateur nommé au testament peut entrer en fonction dès qu'il y a ouverture de la succession et prendre dès le départ la charge de liquider la succession. Ainsi, les principales tâches qu'il peut devoir accomplir sont les suivantes :

- rechercher les dernières dispositions testamentaires et faire homologuer le testament s'il y a lieu ;
- identifier les successibles ;
- dresser l'inventaire des biens ;
- payer les dettes et recouvrer les créances ;
- remettre les biens aux héritiers.

D'aucuns trouveront donc qu'il est un peu tard pour procéder à la nomination d'un liquidateur à cette étape du règlement de la succession. J'en conviens. Cependant, il faut savoir que, d'une part, seuls les héritiers ont le droit de se prononcer sur le choix d'un liquidateur et que, d'autre part, avant de décider si l'on veut prendre la qualité d'héritier, il faut avoir une bonne idée du bilan successoral. Il n'est donc pas recommandé de procéder à la nomination d'un liquidateur avant d'être assuré que ceux qui assumeront cette tâche ont la ferme intention d'accepter leur part d'héritage. Dans le cas contraire, il serait préférable de demander à un tribunal de nommer le liquidateur, car sachez que le simple fait de participer à la nomination d'un liquidateur emporte acceptation tacite de la succession par ceux qui sont partie à la décision. Vous pourriez donc vous retrouver héritier malgré vous!

En fait, si l'on voulait résumer les fonctions du liquidateur, on pourrait dire qu'il a pour tâche d'administrer le patrimoine successoral selon les volontés exprimées par le défunt ou à défaut de dispositions testamentaires, selon la loi et ce jusqu'à ce que la succession soit totalement liquidée. Le Code civil du Québec ne lui accorde que des pouvoirs de conservation des biens et, en conséquence, il ne peut procéder à la vente des biens successoraux sans l'accord des héritiers ou du tribunal, sauf pour cas de nécessité ou lorsque le testateur a voulu lui donner des pouvoirs plus étendus. Il a l'obligation d'être transparent dans son administration et de faire preuve de prudence et de diligence.

QUESTIONS ET RÉPONSES

QUESTION
De combien de temps dispose le liquidateur pour décider s'il accepte sa charge?

RÉPONSE

Le Code civil du Québec ne fixe aucun délai, pas plus d'ailleurs qu'il n'oblige au respect de formalités particulières pour manifester son option. Cependant, le plus tôt sera le mieux et j'estime qu'il est préférable de constater la décision prise par écrit. Par ailleurs, il faut savoir que la personne qui commence à s'occuper du règlement de la succession ou qui accepte le legs fait au liquidateur en guise de rémunération pour ses services sera réputée avoir accepté d'exercer la charge. En effet, on interprétera ses gestes comme constituant une acceptation tacite de la fonction de liquidateur.

QUESTION

Après avoir accepté sa charge, un liquidateur peut-il se désister de ses fonctions?

RÉPONSE

Bien sûr, en autant qu'il avise par écrit les héritiers et les autres liquidateurs, s'il y a lieu, de sa décision. Bien qu'il ne soit aucunement obligé de justifier son désistement, il demeurera responsable des préjudices subis par la succession si sa décision devait survenir au mauvais moment ou dans des circonstances anormales.

QUESTION

De combien de temps dispose le liquidateur pour régler la succession?

RÉPONSE

Aucune échéance précise n'a été fixée par la loi. Chaque succession représentant un cas d'espèce, certaines d'entre elles peuvent être liquidées en quelques mois, d'autres en quelques années. La seule exigence du Code civil du Québec est à l'effet que si la liquidation se prolonge au-delà d'une année, le liquidateur doit, à la fin de cette année et par la suite au moins une fois l'an, rendre compte de son administration aux héritiers, créanciers et légataires particuliers qui n'ont pas encore été payés.

ÉTAPE 8 : L'INVENTAIRE DES BIENS

Après que les droits matrimoniaux ont été liquidés et que nous avons pu obtenir une idée assez précise des actifs et des dettes de la succession, il y a lieu de procéder à la confection de l'inventaire requis par le Code civil du Québec, lequel permettra à chacun des successibles d'exercer son option.

Le liquidateur en fonction est tenu de dresser l'inventaire successoral. Le testateur ne peut l'en dispenser. Seuls les héritiers peuvent le relever de ce devoir à la condition que tous et chacun d'entre eux de même que tous les successibles y consentent.

Dans le cas où l'on est en présence d'une succession manifestement solvable et pour laquelle on est assuré que chaque successible est d'ores et déjà déterminé à accepter sa part d'héritage, on peut comprendre que les héritiers veuillent sauter cette étape. Toutefois, il faut bien mesurer les conséquences d'une telle décision. En effet, les héritiers qui dispensent le liquidateur de faire l'inventaire perdent une protection accordée par le Code civil du Québec. Ils deviennent responsables des dettes de la succession au-delà de la valeur des biens qu'ils recueillent. Si les actifs de la succession sont en conséquence insuffisants pour acquitter la totalité des dettes successorales, les créanciers qui n'ont pas été totalement remboursés pourront exercer leurs recours contre les héritiers personnellement.

Une fois que l'inventaire a été dressé, on doit publier un avis de cet inventaire au Registre des droits personnels et réels mobiliers du Québec. La publication de l'avis de clôture d'inventaire se fait alors au moyen d'un formulaire réglementaire disponible sur demande.

De plus, l'avis de clôture doit être publié dans un journal qui est distribué dans la localité de la dernière adresse connue du défunt. Il n'est pas nécessaire que la publication soit faite dans un quotidien, un hebdomadaire pouvant très bien faire l'affaire. Essentiellement, on reprend dans le journal les mêmes informations que celles qui doivent être inscrites sur le formulaire déposé au Registre des droits personnels et réels mobiliers.

Enfin, le liquidateur se doit d'informer les héritiers, les successibles qui n'ont pas encore opté et les légataires particuliers, de même que les créanciers connus, de l'inscription de l'avis de clôture et du lieu où l'inventaire peut être consulté. Idéalement, l'avis pourrait être accompagné d'une copie de cet inventaire.

QUESTIONS ET RÉPONSES

QUESTION

Existe-t-il des situations où l'inventaire des biens est obligatoire nonobstant le désir des héritiers et des successibles de l'éviter ?

RÉPONSE

Effectivement, il devra toujours y avoir un inventaire lorsqu'il se trouvera parmi les héritiers des mineurs ou des majeurs protégés, car ces derniers ne pourront jamais être tenus au paiement des dettes de la succession au-delà de la valeur des biens qu'ils recueillent. Cette disposition découle du souci du législateur d'assurer la meilleure protection qui soit aux personnes frappées d'incapacité.

L'autre cas serait celui de la succession testamentaire lorsque le testateur a pourvu à la nomination d'un liquidateur et que ce dernier a accepté sa charge. En effet, il serait inconcevable qu'un liquidateur nommé par testament se soumette à la décision des héritiers et des successibles, sachant qu'en agissant ainsi, il manque à ses devoirs et s'expose à une lourde responsabilité. Cependant, rien n'empêche le liquidateur de démissionner alors de ses fonctions pour permettre aux héritiers et aux successibles de poursuivre la liquidation de la succession comme bon leur semble.

QUESTION
Lorsqu'il n'y a pas de liquidateur, qui doit assumer la responsabilité de dresser l'inventaire?

RÉPONSE
Deux possibilités s'offrent alors aux successibles qui ont des intérêts dans la succession. Ils peuvent soit procéder eux-mêmes à l'inventaire requis, soit demander au tribunal de nommer un liquidateur provisoire. Rappelons encore une fois qu'il ne serait pas souhaitable qu'ils procèdent de leur plein gré à la nomination d'un liquidateur à cette étape-ci du règlement de la succession, car ils seront alors réputés avoir accepté la succession avec toutes les conséquences qui peuvent en découler.

QUESTION
Comment dresse-t-on un inventaire en pratique?

RÉPONSE

L'inventaire est fait par acte notarié en minute ou il peut être fait sous seing privé en présence de deux témoins. Dans ce dernier cas, l'auteur de l'inventaire et les témoins le signent et y indiquent la date et le lieu où il est fait. Il s'agit essentiellement d'un document qui énumère fidèlement et exactement tous les biens et toutes les dettes qui composent l'actif et le passif du patrimoine successoral. Chaque bien d'une valeur supérieure à 100 $ doit donc être décrit adéquatement et toutes les dettes tant du défunt que de la succession doivent y être mentionnées. Enfin, l'inventaire comprend une récapitulation de la valeur totale des actifs et de celle des passifs afin d'établir la valeur nette de la succession.

CONSEIL

Ne sous-estimez pas l'importance de l'inventaire, car le défaut de s'y soumettre comporte des conséquences trop importantes. Sachez qu'un créancier peut toujours se présenter dans le processus de liquidation de la succession et menacer la solvabilité de cette dernière. En fait, le Code civil du Québec accorde un délai de trois ans après la décharge du liquidateur à tout créancier qui aurait été omis lors de l'inventaire pour dénoncer sa créance et exercer ses recours.

ÉTAPE 9 : L'OPTION DES SUCCESSIBLES

L'inventaire ayant été dressé, publié et transmis aux successibles, ces derniers sont donc maintenant en mesure de prendre une décision éclairée. La loi leur accorde un délai de 60 jours à compter de l'ouverture de la succession pour accepter leur part d'héritage ou y renoncer. Ce délai pourrait même être prolongé s'ils n'ont pas eu suffisamment de temps pour étudier l'inventaire. En fait, ils doivent disposer d'un délai d'au moins 60 jours après la clôture de l'inventaire pour délibérer et prendre position. S'ils n'ont pas renoncé pendant le délai imparti, on présumera qu'ils ont accepté la succession et ils se verront alors investis du titre d'héritier. L'acceptation d'une succession n'est soumise à aucune formalité particulière. Il en va tout autrement pour la renonciation qui doit obligatoirement être constatée dans un acte notarié portant minute ou découler d'une déclaration judiciaire et qui doit être publiée au Registre des droits personnels et réels mobiliers.

QUESTIONS ET RÉPONSES

QUESTION
Si le testament prévoit plusieurs legs différents au même successible, ce dernier peut-il accepter certains d'entre eux tout en renonçant à certains autres?

RÉPONSE
Effectivement, il peut le faire dans la mesure où il s'agit réellement de legs différents, c'est-à-dire qu'il ne pourrait pas renoncer à certains objets compris dans un legs pour en accepter d'autres. Ce doit être des legs complètement distincts.

QUESTION
Dans quels cas certains gestes ou comportements d'un successible peuvent-ils entraîner l'acceptation de la succession?

RÉPONSE

Il y a plusieurs actions ou omissions du successible qui peuvent faire peser sur lui une présomption d'acceptation ou qui peuvent tout simplement constituer une véritable acceptation de cette succession. Notons parmi elles quelques situations assez fréquentes en pratique :

- participation à la nomination d'un liquidateur ;
- disposition d'un bien de la succession comme s'il s'agissait d'un bien personnel ;
- omission de procéder à l'inventaire dans le délai imparti ou de demander au tribunal de remplacer le liquidateur ou de lui enjoindre de procéder à l'inventaire, sachant pertinemment que le liquidateur refuse ou néglige de le faire ;
- fait de dispenser le liquidateur de faire inventaire ;
- cession à un tiers de ses droits successoraux.

Par contre, lorsqu'un successible est nommé bénéficiaire d'une police d'assurance-vie, il peut très bien réclamer le produit d'assurance et recevoir la somme payable sans que l'on puisse pour autant prétendre qu'il ait voulu se porter héritier de la succession. En effet, retenez que l'assurance-vie payable à un bénéficiaire désigné ne fait jamais partie de la succession d'une personne décédée. Il est même possible de renoncer à la succession et de conserver par ailleurs le produit d'une police d'assurance prise sur la vie du défunt.

CONSEIL

Si vous faites partie des successibles d'une succession, acceptez ou renoncez à vos droits successoraux mais, de grâce, manifestez-vous. La loi est claire à ce sujet : celui qui sait qu'il est appelé à une succession et qui n'enregistre pas sa renonciation dans le délai prévu est réputé avoir accepté. Évidemment, le renonçant doit assumer les honoraires et les frais de notaire chargé d'officialiser sa décision et il peut hésiter à signer un acte de renonciation pour cette raison. Toutefois, il s'agit de coûts minimes pour dormir l'esprit tranquille et pour s'assurer qu'on ne sera jamais importuné par des créanciers du défunt ou de la succession.

ÉTAPE 10 : FORMALITÉS FISCALES

Le liquidateur de la succession ou, en son absence, les héritiers sont tenus de produire la dernière déclaration fiscale du défunt pour l'année de son décès avant la date habituelle, soit le 30 avril de chaque année ou au plus tard six mois après le décès, selon la plus tardive de ces deux dates.

De plus, les lois fiscales imposent au liquidateur l'obligation d'obtenir les autorisations nécessaires pour procéder à la distribution des biens. Vous devrez donc vous acquitter de cette tâche avant de procéder au partage sinon vous serez tenus personnellement responsables des impôts, intérêts et pénalités impayés par le défunt et ce, jusqu'à concurrence de la valeur des biens distribués.

Il s'agit donc de remplir pour l'impôt provincial le formulaire MR-14.A qui constitue en fait cette demande d'autorisation de procéder à la distribution des biens. Revenu Québec vous autorise toutefois à distribuer une somme maximale de 6000 $ avant d'avoir reçu cette autorisation. La demande doit être déposée dès que le bilan successoral a été établi et que la succession a été acceptée. Enfin, lorsque les circonstances suivantes surviennent, le liquidateur est dispensé d'obtenir l'autorisation de distribution :

- tous les biens ont été légués au liquidateur; ou
- le défunt est décédé « ab intestat » et aucun liquidateur n'a été nommé; ou
- le mandat du liquidateur a pris fin avant la distribution des biens; ou
- le liquidateur a renoncé à sa charge, est décédé ou est dans l'incapacité d'assumer ses fonctions pour cause d'inaptitude.

Au fédéral, il s'agit du formulaire TX-19 qui doit être déposé dès que l'avis de cotisation pour la dernière année fiscale du défunt a été reçu. Revenu Canada émettra alors un certificat de décharge permettant la distribution des biens et libérant le liquidateur de cette responsabilité personnelle des dettes fiscales du défunt.

CONSEIL

Pour la préparation des déclarations fiscales, ayez recours à un comptable ou à un fiscaliste et ce, même si vous avez l'habitude de préparer vous-même vos propres déclarations chaque année. Comme vous serez en mesure de le constater à la lecture du chapitre consacré aux impôts au décès plusieurs règles fiscales tout à fait particulières ne reçoivent application que dans de telles circonstances et sont méconnues de la population en général. Par exemple, il peut être souhaitable de produire plusieurs déclarations fiscales au lieu d'une seule dans certaines circonstances. Certains choix fiscaux à faire au moment du règlement de la succession peuvent avoir un impact considérable sur la valeur des biens qui seront transmis. N'hésitez donc pas à recourir à l'un de ces professionnels pour l'aspect fiscal de la liquidation de la succession. Dans bien des cas les honoraires versés au comptable ou au fiscaliste seront largement compensés par les économies fiscales réalisées.

ÉTAPE 11 : TRANSMISSION DES BIENS

Normalement, les biens qui ont été laissés par le défunt devront être transmis dans un premier temps à sa succession pour être distribués par la suite aux bénéficiaires ultimes. La tâche du liquidateur à cette étape de la liquidation de la succession peut être assez imposante. En effet, celui qui est chargé de procéder au règlement de la succession devra produire une « déclaration de transmission » pour chaque bien qui doit être transféré. Essentiellement, il s'agit d'un document qui établit les faits et justifie la transmission des biens en faveur de la succession. La déclaration de transmission est normalement accompagnée de certaines pièces (acte de décès, testament, contrat de mariage, etc.). Parallèlement à cette démarche, le liquidateur devra procéder à l'ouverture d'un compte bancaire au nom de la succession. Ce dernier lui sera utile pour recevoir les sommes versées à la succession et pour payer les dettes.

Tous les biens de la succession à partir des comptes bancaires, certificats de dépôts, obligations d'épargne, actions, parts de fonds d'investissement, automobiles, jusqu'aux biens immobiliers laissés par le défunt (maison, chalet, terrain) devront faire l'objet d'une déclaration de transmission. Cette dernière devra de plus être faite devant notaire lorsqu'elle concerne un bien immeuble.

À la fin de la liquidation de la succession, c'est-à-dire lorsque les formalités fiscales auront été respectées, que le compte du liquidateur aura été accepté et que les biens devant être partagés auront fait l'objet d'une entente, il devra y avoir remise des biens aux héritiers par la succession et le liquidateur, s'il y a lieu, sera alors dégagé de ses fonctions.

Dans de nombreuses successions il n'est toutefois pas approprié de rédiger une déclaration de transmission pour transférer les biens à la succession et de répéter le même travail peu de temps après pour effectuer la remise des biens à l'héritier. On peut tout simplement préparer une seule déclaration de transmission en faveur de l'héritier lorsque le moment sera opportun. Il en sera ainsi lorsqu'on est en présence d'une succession avec un seul héritier, légataire universel et seul liquidateur de la succession.

Sachez que pour chaque actif, il faudra procéder à la rédaction d'au moins une déclaration de transmission qui aura pour effet d'établir le titre de propriété de son bénéficiaire.

ÉTAPE 12: PAIEMENT DES DETTES

Une des principales fonctions du liquidateur est celle de voir au paiement des créanciers du défunt ou de la succession. Il devra évidemment s'assurer que chacun d'eux a été remboursé intégralement avant de songer à remettre les biens aux légataires particuliers et aux héritiers. Il devra voir au paiement des comptes d'électricité, téléphone, chauffage, frais funéraires ou de dernière maladie, soldes de cartes de crédit, emprunts personnels, créances résultant du partage du patrimoine familial ou de la société d'acquêts, du droit à une prestation compensatoire ou à des aliments et à toutes autres dettes. Selon l'état de solvabilité de la succession, sa tâche se verra plus ou moins encadrée par des règles du Code civil du Québec.

SUCCESSION SOLVABLE

En présence d'une succession dans laquelle les biens sont amplement suffisants pour payer toutes les dettes successorales ainsi que les legs particuliers, la procédure à suivre est somme toute assez simple. Le liquidateur peut alors payer les légataires particuliers et les créanciers dès qu'il est en mesure de le faire et ce, sans aucune formalité particulière.

SUCCESSION DONT LA SOLVABILITÉ N'EST PAS ÉVIDENTE

Lorsque survient une telle situation, le liquidateur se doit d'attendre l'expiration d'un délai de 60 jours à compter de l'inscription au Registre des droits personnels et réels mobiliers de l'avis de clôture d'inventaire pour rembourser les divers créanciers à l'exception des comptes de services publics et des dettes considérées urgentes que le Code civil du Québec permet de payer avant l'expiration du délai.

SUCCESSION INSOLVABLE

S'il devait s'avérer que la succession s'annonce comme étant manifestement insolvable, la plus grande prudence devrait s'imposer. La procédure à suivre dans de telles circonstances est fort complexe et de toute évidence le recours à un conseiller juridique s'avère nécessaire.

D'abord, le liquidateur devra faire une proposition de paiement après avoir dressé un état complet des dettes et des legs particuliers. Il devra en donner avis aux héritiers, créanciers et légataires particuliers et faire homologuer le tout par un tribunal. Par la suite, il devra payer les divers créanciers en respectant l'ordre de priorité prévu par le Code civil du Québec. Certaines dettes seront ainsi remboursées avant d'autres et les légataires particuliers seront payés en tout dernier lieu.

Les légataires particuliers ne seront affectés que dans la mesure où l'actif successoral s'avère insuffisant pour rembourser les autres créanciers ou tous les légataires particuliers.

ÉTAPE 13 : REDDITION DE COMPTE ET DÉLIVRANCE DES BIENS

La reddition de compte et la délivrance des biens constituent la dernière phase du processus de liquidation. Une fois cette étape achevée, le liquidateur sera normalement libéré de ses obligations d'administrateur des biens successoraux.

Le compte définitif du liquidateur a pour objet de déterminer l'actif net ou le déficit de la succession. Il doit de plus indiquer quels sont les dettes et les legs qui n'ont pu être entièrement payés, s'il y a lieu, et préciser le mode de paiement pour chacun. On peut l'établir sous seing privé ou sous forme notariée. Le compte définitif rédigé devant notaire présente l'avantage que l'on peut reproduire des copies authentiques du document selon son bon gré. Sachez que la reddition de compte n'est pas obligatoire dans le règlement de toute succession. En effet, les héritiers peuvent d'un commun accord dispenser le liquidateur de cette tâche.

C'est par le biais du compte définitif du liquidateur que les héritiers peuvent apprécier le travail fait par ce dernier. On pourrait dire qu'il s'agit d'un tableau présentant les résultats de son administration. Il est donc nécessaire que les héritiers acceptent le compte préparé par le liquidateur pour qu'il puisse se voir déchargé de ses responsabilités et qu'il y ait délivrance des biens en faveur des propriétaires ultimes des biens successoraux : les héritiers.

Parfois, lorsque le testament ou les héritiers l'ont demandé, le compte du liquidateur est accompagné d'un projet de partage destiné à mettre fin à l'indivision dans laquelle peuvent se retrouver certains actifs de la succession. Si la proposition faite par le liquidateur est acceptée par les héritiers, il y aura confection d'un acte de partage au moment de la remise des biens. Si elle n'est pas acceptée ou si l'on n'a pas requis le partage de certains biens, les héritiers qui en seront devenus propriétaires par l'effet de l'acceptation du compte du liquidateur demeureront copropriétaires indivis des biens concernés jusqu'à ce qu'ils décident de mettre fin d'eux-mêmes à cet état. De toute évidence, cette opération de partage faite ultérieurement se réalisera sans le concours du liquidateur dont les fonctions ont pris fin lors de la publication de l'avis de clôture du compte.

QUESTIONS ET RÉPONSES

QUESTION

J'ai hérité d'un portefeuille d'obligations que m'a laissé mon père par testament. Ai-je droit aux intérêts courus depuis le décès ou seulement à compter de la délivrance des biens?

RÉPONSE

Tous les fruits et les revenus engendrés par des biens de la succession profitent au légataire à compter de l'ouverture de la succession ou du moment où la disposition testamentaire a produit ses effets à l'égard de l'héritier. En conséquence, en ce qui concerne les intérêts accumulés sur des obligations, vous ne serez aucunement pénalisé si le processus de liquidation exige plus de temps que vous ne l'auriez souhaité.

QUESTION

J'ai été nommé liquidateur d'une succession. Puis-je m'acquitter de cette tâche seul ou aurais-je avantage à recourir aux services d'un notaire, avocat, comptable, fiscaliste ou société de fiducie pour m'aider à assumer mes responsabilités à cet égard?

RÉPONSE

La lecture de ce chapitre vous aura certainement permis d'évaluer si vous êtes en mesure d'assumer seul les fonctions et les responsabilités liées au processus de liquidation d'une succession. Toutefois, voici quelques points à considérer pour vous aider à prendre une décision éclairée.

D'abord, demandez-vous si certains héritiers pourraient être enclins à contester vos décisions. Dans certaines successions, on peut facilement présumer qu'il y aura des mécontents et on peut s'imaginer que certains bénéficiaires n'hésiteront pas à mettre en doute le bien-fondé de certaines de vos décisions. Il vaut mieux alors recourir à l'aide d'un professionnel pour éviter de s'exposer à des contestations de la part de certains héritiers.

Ensuite, il y a lieu de voir si vous êtes en présence d'une succession dans laquelle il pourrait y avoir des choix fiscaux à faire. Le chapitre de cet ouvrage portant sur les impôts au décès vous permettra d'identifier si la succession que vous avez à liquider exige un niveau de connaissance des lois fiscales que vous n'avez pas. Dans ces circonstances, n'hésitez pas à recourir aux services d'un comptable ou d'un fiscaliste pour au moins vous aider à faire les bons choix et pour vous familiariser davantage avec les règles fiscales particulières qui prévalent lors d'un décès. Quelques centaines de dollars d'honoraires peuvent parfois vous faire réaliser des économies d'impôt fort appréciables.

Sachez que beaucoup de successions nécessiteront un jour ou l'autre l'intervention d'un notaire pour la réalisation de certains mandats particuliers. En effet, comme on l'a vu précédemment, certains actes rencontrés lors du processus de liquidation d'une succession doivent obligatoirement être faits devant notaire. Il en va ainsi de la déclaration de transmission d'un immeuble, de l'acte de renonciation au partage du patrimoine familial, de l'acte de renonciation au partage de la communauté de biens ou de la société d'acquêts et de l'acte de renonciation à une succession. Le recours aux services d'un juriste peut également s'avérer utile pour l'homologation d'un testament, la nomination d'un tuteur ou d'un curateur, la nomination d'un liquidateur par voie judiciaire, ainsi que pour la détermination des héritiers. Enfin, certains actes qui n'ont pas à être notariés pourraient avoir avantage à être rédigés sous cette forme. Par exemple, l'inventaire d'un coffret de sûreté ou de la succession, la reddition de compte, la nomination d'un liquidateur par les héritiers et l'acte de partage.

Sachez enfin qu'il peut être souvent plus avantageux de confier le règlement complet d'une succession à un notaire que de recourir à ses services à plusieurs reprises pour différents mandats particuliers. Il en coûtera environ de 1 % à 3 % de l'actif successoral brut pour vous éviter tous les tracas liés à la fonction de liquidateur et pour vous assurer de l'expertise du notaire tout au long du processus de liquidation de la succession.

LA GESTION
DES BIENS D'AUTRUI

«Nous ne pensons qu'à l'argent:
celui qui en a pense au sien, celui
qui n'en a pas pense à celui des autres.»

SACHA GUITRY

Vous avez minutieusement préparé votre testament et avez planifié le règlement de votre succession. Félicitations! Mais vous êtes-vous demandé qui s'occuperait de vos affaires advenant que vous soyez atteint d'incapacité physique ou mentale suite à un accident ou à une maladie? Malheureusement, le testament ne vous serait dans ces circonstances d'aucun secours. En effet, un testament n'est valide et ne doit être pris en considération qu'au jour du décès. Ce qui peut vous affecter de votre vivant ne peut trouver une solution dans ce document qui ne prend effet qu'à votre mort.

Peut-être estimez-vous qu'il n'est pas nécessaire de vous préoccuper d'une telle situation puisque vous avez un conjoint qui vit à vos côtés et qui voudra certainement gérer vos actifs advenant votre incapacité. Détrompez-vous! Il n'en est rien. Votre famille immédiate, votre conjoint, vos enfants ne sont pas autorisés par la loi à administrer vos finances. Du moins pas avant qu'un tribunal ne leur reconnaisse le droit d'agir en votre nom, ce qui n'est pas toujours une mince affaire.

QUI PEUT AGIR À VOTRE PLACE?

Bien sûr, la loi ne pouvait rester muette à cet égard. On a donc prévu légalement la création de « régimes de protection » destinés à encadrer l'administration des biens de celui qui est frappé d'incapacité et à assurer la protection de sa personne. C'est ainsi qu'on a vu apparaître les concepts de conseiller au majeur, tuteur au mineur ou majeur et curateur au majeur. Le régime de protection applicable dépendra essentiellement dans le cas du majeur de son degré d'inaptitude. Voici en bref les principales distinctions à faire entre ces divers régimes.

CONSEILLER

Il s'agit d'une personne qui assistera, dans certains actes déterminés par le tribunal, une personne qui est habituellement ou généralement apte à s'occuper d'elle-même ou de ses biens.

TUTEUR

On songera à la nomination d'un tuteur lorsque la personne à protéger est partiellement ou temporairement inapte à prendre soin d'elle-même ou à administrer ses biens.

CURATEUR

Ce dernier aura l'administration des biens du majeur qui est frappé d'une incapacité totale et permanente de prendre soin de lui-même et d'administrer ses biens.

Dès qu'une personne devient inapte à prendre soin d'elle-même ou à administrer ses biens, par suite, notamment, d'une maladie, d'une déficience ou d'un affaiblissement dû à l'âge ayant pour résultat d'altérer ses facultés mentales ou son aptitude physique à exprimer sa volonté, il devient indiqué de songer à la nomination d'un curateur ou d'un tuteur pour le représenter ou d'un conseiller pour l'assister.

La solution paraît simple mais le moyen pour y arriver ne l'est pas. En effet, c'est au tribunal que revient la responsabilité de l'ouverture d'un régime de protection. Il sera saisi d'une demande à cet effet par un conjoint, un proche parent ou toute autre personne intéressée. Or, vous le savez sans doute, l'intervention d'un tribunal est habituellement source de frais judiciaires et d'honoraires d'avocats ou de notaires. De plus, une fois le jugement obtenu, vous ne serez pas au bout de vos peines. Il faudra réévaluer le régime de protection à tous les trois ans dans le cas de la tutelle ou du conseil au majeur ou aux cinq ans dans celui de la curatelle. Vous devrez enfin, ce qui n'est pas une mince affaire, rendre compte régulièrement de votre administration au Curateur public du Québec. Ce dernier occupe deux fonctions principales:

- il représente les personnes inaptes et seules ou dont la famille ou les proches ne sont pas en mesure de s'occuper;
- il supervise l'administration des tuteurs et curateurs privés et prête assistance aux conseillers aux majeurs, tuteurs ou curateurs dans l'exercice de leurs fonctions.

LA SOLUTION:
LE MANDAT EN CAS D'INAPTITUDE

Les mécanismes légaux prévus pour assurer la protection des incapables ainsi que l'administration du Curateur public du Québec ont été maintes fois pointés du doigt pour leur manque d'efficacité et d'humanité. Si bien que notre gouvernement a décidé de permettre à une personne, en prévision de son inaptitude, de choisir à l'avance qui aurait la responsabilité de gérer ses affaires advenant une telle éventualité et de déterminer elle-même les pouvoirs qui seront attribués à la personne qui assumera cette tâche. C'est ainsi qu'est né le « mandat en cas d'inaptitude ». En somme, il s'agit d'un acte juridique unilatéral qui a pour but de confier à une personne appelée mandataire des pouvoirs précis pour le cas où vous seriez incapable d'assurer votre propre protection et ne pourriez administrer vous-même vos biens. Vous pouvez donc dorénavant choisir vous-même la personne qui sera votre représentant si vous deveniez inapte et vous n'êtes plus obligé de laisser cette décision à l'arbitraire d'un groupe de parents, d'amis ou d'un officier de la cour.

Le mandataire ne pourra toutefois agir en vertu du mandat en cas d'inaptitude que lorsqu'il se sera présenté devant un tribunal pour faire constater l'inaptitude du mandant. Il lui faudra fournir la preuve que le mandant n'est plus en état de prendre soin de sa personne et d'administrer ses biens. Un rapport d'évaluation médicale produit par un médecin de même qu'un rapport d'évaluation psychosociale habituellement rédigé par un travailleur social constitueront l'essentiel de la preuve à fournir à la cour. Lorsque cette étape sera franchie, on dira que le mandat en cas d'inaptitude est « homologué » par un tribunal, ce qui signifie que le mandataire peut maintenant exercer les fonctions prévues à l'acte.

LE CONTENU DU DOCUMENT

Essentiellement, il s'agit de pourvoir à la nomination de la ou des personnes qui pourront agir à votre place dans l'éventualité de votre incapacité à le faire vous-même. Vous pouvez choisir une seule personne de confiance qui vous semble en mesure de pouvoir mener à bien cette tâche ou opter pour la nomination de deux mandataires qui devront agir conjointement. Il est également possible d'attribuer à une personne la charge d'assurer votre protection personnelle et de confier à une autre l'administration de vos biens. Songez de plus à désigner des remplaçants pour le cas où un mandataire élu serait incapable d'agir ou refuserait de le faire en temps utile.

Ensuite, il vous faudra établir quels seront les pouvoirs dont sera investi tout mandataire qui vous représentera. À cet égard, il est certainement souhaitable d'accorder à ce dernier des pouvoirs assez étendus pour éviter de devoir recourir à l'établissement d'un régime de protection dans certaines circonstances. En fait, le mandat peut décrire très précisément les actes que le mandataire sera appelé à faire ou il peut être rédigé en termes généraux pour permettre à la personne désignée d'administrer vos biens avec des pouvoirs très larges. On dira alors, dans ce dernier cas, que l'on est en présence d'un mandat de pleine administration.

De plus, le mandat en cas d'inaptitude comprend fréquemment des clauses qui permettent au mandataire de consentir en votre nom à des soins ou des traitements qui pourraient vous être suggérés et qui lui donnent les pouvoirs nécessaires pour assurer votre bien-être moral et matériel.

Rappelez-vous enfin que tant que vous serez totalement sain d'esprit il vous sera possible de modifier votre mandat en cas d'inaptitude, de remplacer un mandataire ou même de carrément annuler le document signé.

SIMPLE OU PLEINE ADMINISTRATION?

Dans le cas où un mandataire est chargé d'administrer les biens d'une personne inapte et qu'il agit en vertu d'un mandat en cas d'inaptitude, il faudra se référer au document pour connaître l'étendue des pouvoirs qui lui ont été confiés. Il en va de même de celui qui a pour fonction de liquider une succession testamentaire ou de gérer les biens d'une fiducie. Cependant, il y a également de nombreuses situations où il y a administration du bien d'autrui et où l'on n'aurait d'autres choix que de faire appel aux dispositions de droit commun prévues par le Code civil du Québec. Il en est ainsi dans les cas de la curatelle au majeur, de la tutelle (à l'absent, au mineur ou au majeur) ainsi que dans certaines successions ou fiducies où l'administrateur tire ses pouvoirs de la loi soit parce qu'ils n'ont pas été définis dans un acte quelconque, qu'ils sont rédigés en termes généraux ou qu'ils sont tout simplement incomplets.

Sachez que le Code civil du Québec définit deux formes d'administration du bien d'autrui : la simple administration et la pleine administration. Le curateur et le fiduciaire se voient confiés un mandat de pleine administration alors que le tuteur, le mandataire aux biens et le liquidateur d'une succession ne disposent que de pouvoirs de simple administration, sauf évidemment si le document qui pourvoit à leur nomination contient des dispositions allant à l'encontre de celles prévues par la loi. En fait, les dispositions légales sont supplétives, c'est-à-dire qu'elles s'appliquent en cas de nécessité seulement.

Pourquoi faire cette distinction entre la pleine et la simple administration? Celui qui est chargé de la simple administration n'est tenu qu'à la conservation des biens alors que la pleine administration implique une responsabilité additionnelle : celle de faire fructifier les biens. En fait, le premier doit principalement conserver les biens alors que le second a la lourde responsabilité d'accroître la valeur du patrimoine de la personne sous administration.

Malheureusement, le Code civil du Québec n'est pas très bavard quant au sens à donner aux termes « conservation des biens » et à celui de « fructification des biens ». Nous tenterons de combler ces lacunes en apportant quelques précisions qui vont nous permettre de mieux cerner ces notions. La distinction est importante surtout lorsque l'administrateur doit voir à la gestion d'un portefeuille de placements, ce qui est de plus en plus fréquent.

Ce qu'il importe de bien saisir, c'est que la « conservation des biens » implique, selon nous, non simplement la conservation matérielle des placements mais celle de leur valeur économique. Ainsi, à titre d'exemple, celui qui est chargé de la simple administration du bien d'autrui et qui conserve dans le portefeuille de placements de son protégé une obligation générant un taux d'intérêt de 3 %, alors que le taux d'inflation est de 4 %, n'assumerait pas ses fonctions adéquatement. En effet, on ne pourrait conclure qu'il y a eu véritable conservation du bien puisque le bénéficiaire de la gestion se serait appauvri avec le temps. En conséquence, même si la simple administration est moins exigeante à cet égard que la pleine administration, il n'en demeure pas moins qu'elle peut nécessiter à l'occasion une gestion active des titres en portefeuille et ce, toujours dans le but d'au moins conserver le pouvoir d'achat des biens sous gestion.

Retenez de plus que les administrateurs chargés de la conservation d'un portefeuille se doivent de sélectionner leurs placements à même une liste d'investissements qui ont été retenus par le législateur et qu'on retrouve au Code civil du Québec. On les appelle « les placements présumés sûrs ». L'administrateur qui a la pleine administration n'est pas tenu de se limiter à cette liste. Toutefois, nous pensons qu'il a tout intérêt à s'y conformer, car la loi lui impose d'agir avec prudence.

LES PLACEMENTS PRÉSUMÉS SÛRS

L'article du Code civil du Québec qui énumère les placements qui sont présumés sûrs est fort méconnu. Cependant, il revêt une importance telle qu'il y a lieu de faire ressortir au moins les investissements les plus importants et les plus courants :

- les titres de propriété sur un immeuble ;
- les obligations ou autres titres d'emprunt émis par un gouvernement ou par un service public ;
- certaines obligations garanties et certains titres hypothécaires répondant aux critères définis par la loi ;
- les actions ordinaires de sociétés canadiennes dans la mesure où elles sont inscrites à la cote d'une des bourses reconnues par le gouvernement (Montréal, Toronto, Vancouver, Alberta, Winnipeg) et pour autant que leur capitalisation boursière s'établisse à au moins 75 millions de dollars, excluant les actions privilégiées

ainsi que tout bloc d'actions de 10 % et plus détenu par un même actionnaire;

- les actions privilégiées libérées, émises par une société dont les actions ordinaires constituent des placements présumés sûrs ou qui, au cours des cinq derniers exercices, a distribué le dividende stipulé sur toutes ses actions privilégiées;
- les unités de participation à un fonds de placement à la condition que 60 % des investissements contenus dans le portefeuille de fonds soient constitués de placements présumés sûrs.

L'article suivant nous dit que l'administrateur doit décider des placements à faire en fonction du rendement et de la plus-value espérée. Il ajoute que, dans la mesure du possible, il doit tendre à composer un portefeuille diversifié, assurant, dans une proportion établie en fonction de la conjoncture, des revenus fixes et des revenus variables. Évidemment, l'on sera moins exigeant à l'égard d'une administration qui ne doit durer que quelques mois, comme dans le cas des successions, que pour celle qui peut facilement s'étaler sur de nombreuses années, comme dans le cas de la tutelle, de la curatelle ou de la fiducie. Il m'apparaît donc clair que dans certaines circonstances l'on puisse pouvoir reprocher à un administrateur d'avoir péché par excès de prudence. En effet, ce n'est pas parce que l'on place tout l'argent d'un patrimoine dans un certificat de placement garanti ou dans un dépôt à terme que l'on peut conclure qu'il y a eu bonne administration des biens conforme aux exigences du Code civil du Québec. D'autant plus qu'une des règles veut que le placement en dépôt à terme dans une institution financière doive être pleinement garanti par la Régie de l'assurance-dépôts du

Québec, laquelle limite sa protection d'assurance à 60 000 $ (capital et intérêts) par institution.

En conséquence, il m'apparaît essentiel que l'administrateur qui est chargé de gérer un portefeuille de placements devrait avoir une connaissance assez bonne des marchés et des caractéristiques propres à chaque placement. S'il ne possède pas lui-même l'expertise nécessaire pour s'acquitter adéquatement de ses responsabilités à cet égard, il devra faire appel à un conseiller qui connaît bien les placements présumés sûrs disponibles et qui peut l'aider à mener à bien sa tâche. Sachez que celui qui effectue un placement qu'il n'est pas autorisé à faire est, par ce seul fait et sans autre preuve de faute, responsable des pertes qui peuvent en résulter. Toutefois, le Code civil du Québec permet à l'administrateur de maintenir les placements qui sont existants lors de son entrée en fonction et ce, même s'ils ne figurent pas dans la liste des placements présumés sûrs.

LES AUTRES DEVOIRS DE L'ADMINISTRATEUR

Il va de soi que l'administrateur se doit d'éviter de confondre ses biens avec ceux de la personne dont il est chargé de gérer les affaires. C'est ainsi qu'on lui demandera d'effectuer les placements pour le bénéficiaire soit au nom de ce dernier, en indiquant qu'ils sont faits par l'administrateur ès qualité, ou en son nom, mais en stipulant que l'investissement est fait en sa qualité d'administrateur du bien d'autrui. Il doit également éviter de se placer en tout temps dans une situation de conflit d'intérêts et il est tenu de rendre compte de son administration.

Enfin, dans tous les cas, l'administrateur doit agir avec prudence, diligence, honnêteté et loyauté, dans le meilleur

LES FIDUCIES :
UN OUTIL EFFICACE

« C'est au moment de payer ses impôts
qu'on s'aperçoit qu'on n'a pas les moyens
de s'offrir l'argent que l'on gagne. »

San Antonio

Plusieurs individus aux prises avec un fardeau fiscal excessif peuvent vouloir bien légitimement tenter de réduire la masse des impôts qu'ils ont à payer chaque année. C'est ainsi que plusieurs d'entre eux transfèrent des biens qui sont productifs de revenus à d'autres membres de leur famille, lesquels sont sujets à un taux d'imposition moins élevé. Ils pensent donc souvent à tort qu'il suffit de « mettre ses biens au nom d'un conjoint ou d'un enfant » pour réduire la facture fiscale globale de l'unité familiale. Malheureusement pour eux, l'affaire paraît beaucoup plus simple qu'elle ne l'est en réalité. En effet, le fisc est plus rusé qu'on ne le croit et il a pris des dispositions pour empêcher les contribuables de fractionner leurs revenus à outrance.

Toutefois, bien que les possibilités de fractionnement efficaces soient réduites, il reste qu'il est encore possible de transférer l'imposition de certains revenus ou de gains en capital sur les épaules d'un autre membre de sa famille disposant d'un revenu moindre et bénéficiant donc d'un taux d'imposition moins élevé. À cet égard, les fiducies peuvent constituer un outil fort efficace pour atteindre un tel objectif. Cependant, avant d'étudier plus à fond les principales règles régissant les fiducies, voyons d'abord quelles sont les limites des dispositions fiscales restreignant les possibilités de fractionnement de revenus.

LES RÈGLES D'ATTRIBUTION

Les règles qui encadrent les transferts de biens productifs de revenus entre des personnes liées s'appellent les « règles d'attribution ». La terminologie est fort significative puisqu'il s'agit de dispositions légales qui ont pour effet « d'attribuer » sur le plan fiscal, dans certaines circonstances, les revenus qui seront produits par ces biens. À titre d'exemple, bien que M. Leduc ait transféré à son épouse toutes ses obligations d'épargne, il devra continuer de déclarer dans ses propres déclarations fiscales les revenus qui seront produits par ces obligations. On comprend le bien-fondé de ces règles d'attribution. Elles visent à empêcher les contribuables à revenus élevés de transférer leurs biens productifs de revenus à un autre membre de leur famille qui dispose d'un revenu moindre, simplement pour réduire leur fardeau fiscal.

L'ESSENTIEL DES RÈGLES

Si vous avez l'intention de transférer des biens qui génèrent du revenu à un de vos proches, avant de procéder, considérez les règles fiscales suivantes :

- Lorsqu'un particulier transfère un bien à son conjoint (marié ou de fait), le revenu ou la perte généré par ce bien lui sera normalement attribué et il reviendra à l'auteur du transfert de déclarer dans ses propres déclarations fiscales ce revenu ou cette perte, et ce même s'il n'est plus légalement propriétaire du bien. De plus, tout gain en capital ou toute perte en capital ainsi que toute récupération d'amortissement pouvant résulter d'une disposition ultérieure du bien par le conjoint bénéficiaire du transfert sera également attribué à l'auteur de ce transfert. L'opération ne procurera donc aucun avantage sur le plan fiscal au particulier qui est à l'origine du transfert.

▶ **EXEMPLE**

Alexandre, qui vit en union de fait avec Virginie depuis plusieurs années, décide de donner à sa conjointe un petit immeuble à revenus qu'il a acquis tout récemment. Un acte constatant la transaction sera donc signé devant notaire et publié au bureau de la publicité des droits fonciers. Tenons également pour acquis que cet immeuble ait été acheté au coût de 125 000 $ et qu'il produit actuellement un revenu net annuel de l'ordre de 2000 $. Bien qu'aux yeux des tiers Virginie soit considérée comme étant la seule propriétaire du bien, nos autorités fiscales ne l'entendent pas ainsi et considéreront les revenus générés par l'immeuble comme appartenant à Alexandre. De plus, si Virginie devait disposer de cet immeuble pour une valeur de 175 000 $ dans les années à venir, c'est Alexandre qui devra donc déclarer un gain en capital de 50 000 $ (175 000 $ - 125 000 $) dont les trois quarts, soit 35 000 $ (50 000 $ x 75 %) viendront s'ajouter à ses revenus pour l'année au cours de laquelle Virginie s'est départie de l'immeuble.

- Lorsque le transfert a lieu en faveur d'un enfant mineur, le fisc attribuera à l'auteur du transfert le revenu et à l'enfant le gain ou la perte en capital découlant de l'aliénation ultérieure des biens par ce dernier. Cette règle d'attribution recevra application lorsque le contribuable et le mineur ont entre eux un lien de dépendance. Elle couvrira donc généralement les opérations conclues avec les enfants, les petits-enfants et les arrière-petits-enfants du contribuable, les enfants du conjoint et les neveux et nièces.

Toutefois, rappelez-vous qu'au moment du transfert des biens en faveur du mineur il pourra y avoir réalisation d'un gain en capital imposable entre les mains de l'auteur de ce transfert. En effet, celui qui se départit de certains biens qu'il possède au profit d'un mineur est réputé avoir disposé de cesdits biens à leur juste valeur marchande, laquelle représentera également le coût d'acquisition de ces mêmes biens pour l'enfant. Pour éviter cette situation, on préférera souvent transférer à un mineur des biens qui n'ont pas accumulé de plus-value imposable, comme une somme d'argent ou des actions qui n'ont pas augmenté de valeur ou qui se sont dépréciées.

▶ **EXEMPLE**

Alexandre achète à son fils mineur Laurent pour 25 000 $ d'unités du fonds d'investissements « Croissance au max ». Si le fonds verse des distributions de revenus d'intérêts ou de dividendes durant la minorité de son fils, Alexandre devra ajouter ces revenus à ses propres déclarations fiscales. Quant aux gains ou aux pertes en capital réalisés et distribués par le fonds ou produits par la vente ultérieure des unités, ils seront réputés appartenir à Laurent. Cependant, si au lieu d'acheter à son fils des unités du fonds, Alexandre préférait lui donner des unités qu'il détient déjà dans son portefeuille et qui se sont appréciées, il devra en plus s'imposer sur la plus-value accumulée à la date de ce transfert.

LES LIMITES DES RÈGLES

Les principes plus haut établis souffrent de certaines limites découlant de l'interprétation des dispositions statutaires. Il convient de bien les connaître, car c'est à partir de ces limites que nous pourrons établir quelques stratégies de fractionnement de revenus.

Le revenu d'entreprise n'y est pas sujet

Il importe de bien faire la distinction entre un revenu de bien (intérêt, dividende, loyer) et un revenu d'entreprise, ce dernier n'étant aucunement visé par les règles d'attribution précitées.

Le revenu secondaire est exclu

Lorsqu'un bien transféré produit un revenu, les règles d'attribution veulent qu'en certaines circonstances le revenu soit imposé entre les mains de l'auteur du transfert. C'est l'essence même des principes évoqués plus haut. Toutefois, si le bénéficiaire réinvestit ces revenus et que ces derniers lui procurent un revenu secondaire, il devra lui-même s'imposer sur ces derniers revenus. Autrement dit, le revenu secondaire n'est jamais assujetti aux règles d'attribution puisqu'il ne s'agit pas techniquement d'un revenu généré par les biens transmis.

Les transferts à la juste valeur marchande sont exclus

Si l'auteur du transfert reçoit en considération de l'opération une contrepartie qui est égale à la juste valeur marchande du bien, les règles d'attribution ne s'appliqueront pas.

Les prêts d'argent peuvent équivaloir à des transferts

Vous avez l'intention de prêter à votre conjoint ou à un enfant mineur une somme d'argent qui sera par la suite investie par ce dernier? Portez attention aux règles d'attribution. En effet, le fisc accepte de ne pas appliquer les règles d'attribution pour autant que le prêt porte intérêt à un taux au moins égal au taux visé par règlement de Revenu Canada au moment où il est consenti. De plus, les autorités fiscales exigent que les intérêts soient réellement payés chaque année ou dans un délai de 30 jours suivant la fin de l'année.

Les changements de statut

Dans certaines circonstances particulières, la situation des parties au transfert peut faire en sorte que l'on puisse écarter l'application des règles d'attribution. Il en est ainsi lorsque l'auteur est ou devient un non-résident, lorsqu'il y a divorce ou séparation entre l'auteur et le bénéficiaire du transfert ou s'il y a décès de l'un d'eux.

LES DISPOSITIONS ANTI-ÉVITEMENT

Les autorités fiscales ont établi d'autres règles spéciales qui ont pour but d'éviter que des contribuables puissent contourner l'application des règles d'attribution. Il faudra donc en tenir compte lors de l'élaboration de toute stratégie de fractionnement de revenus. Voici les principales.

Prêts et transferts multiples

On pourrait être tenté de faire indirectement ce que la loi empêche de faire directement. Par exemple, nous pourrions vouloir transférer un bien productif de revenus à un tiers qui, lui, serait par la suite chargé de transférer le même bien à notre conjoint. Bien que l'opération puisse paraître alléchante à première vue, sa mise en application mettra en branle l'application des règles anti-évitement. En effet, le fisc traitera alors l'opération comme si le prêt ou le transfert avait été fait directement de l'auteur à son conjoint avec toutes les conséquences qui s'ensuivent.

Biens substitués

Si un bien assujetti aux règles d'attribution est aliéné et remplacé par un autre bien, les biens acquis en remplacement seront également affectés par les règles. À titre d'exemple, si vous donnez à votre épouse 200 actions d'une société publique cotée en bourse et que cette dernière décide de les vendre pour réinvestir le produit de vente dans l'acquisition d'obligations municipales, les intérêts générés par ce dernier placement continueront d'être imposables entre vos mains.

Transferts à une fiducie ou à une société

Les transferts indirects à une fiducie ou à une société dont le conjoint ou un enfant mineur est bénéficiaire ne vous permettront aucunement d'écarter l'application des règles d'attribution. Encore une fois, ce n'est pas parce qu'on utilise l'intermédiaire d'un individu ou d'une entité quelconque qu'on peut mettre de côté l'application des règles. Rappelez-vous qu'on ne peut d'aucune manière se soustraire aux dispositions fiscales en faisant indirectement ce qui est prohibé directement.

LES POSSIBILITÉS DE FRACTIONNEMENT

Comme on l'a vu précédemment, les possibilités de fractionnement de revenus sont limitées. Toutefois, certaines stratégies fiscales de fractionnement demeurent possibles et peuvent même être fort recommandables dans certaines circonstances. En voici quelques-unes :

PRÊTEZ AU TAUX PRESCRIT

Dans la mesure où le taux d'intérêt prescrit par Revenu Canada est inférieur au taux de rendement anticipé pour un investissement envisagé, il pourrait être intéressant de recourir à cette technique pour réduire le fardeau fiscal familial.

▶ **EXEMPLE**

Hélène est une femme d'affaires prospère et elle touche chaque année des revenus fort importants qui l'ont propulsée dans la tranche d'imposition la plus élevée. Son conjoint, Mario, est encore aux études et n'a pour l'instant aucune source de revenus. Hélène pourrait donc prêter à Mario une somme de 100 000 $ au taux d'intérêt prescrit de 4 %. De son côté, Mario pourrait investir cet argent dans un produit d'investissement reconnu pour générer année après année un rendement fort impressionnant de plus de 10 % en revenus d'intérêt. Voici donc quel serait le résultat de l'opération si l'on suppose qu'Hélène est assujettie à un taux d'imposition de 50 %.

- Revenus d'Hélène tirés de l'opération :
  100 000 $ x 4 %   =   4000 $
  Impôt à 50 %   =   2000 $
- Revenus de Mario :
  100 000 $ x 10 % =   10 000 $
  Intérêts versés à Hélène :
  100 000 $ x 4 % =   4000 $
  Revenu total   =   6000 $

Si l'on tient compte des crédits personnels de base, Mario ne devrait donc pas avoir d'impôt à payer. La facture fiscale totale pour la famille s'établira donc à 2000 $ au lieu de 5000 $ si Hélène avait elle-même fait l'investissement (100 000 $ x 10 % imposé à 50 %). En conséquence, Hélène et Mario auront épargné 3000 $ d'impôt dans l'opération. Toutefois, la somme d'argent additionnelle qui sera à leur disposition sera inférieure à ce montant étant donné qu'Hélène ne pourra plus réclamer le crédit pour conjoint. Cependant, il n'y a aucun doute que Mario et Hélène réaliseront ainsi une économie d'impôt suffisamment intéressante pour qu'il vaille la peine d'orchestrer un tel scénario.

RÉINVESTISSEZ LES REVENUS ATTRIBUÉS

Comme nous l'avons vu plus haut, le revenu secondaire n'est pas sujet aux règles d'attribution. On peut donc réaliser avec les années des économies d'impôt appréciables en transférant des biens productifs de revenus à un conjoint ou à un enfant mineur qui réinvestira les revenus perçus.

 EXEMPLE

Hélène décide plutôt de transférer à Mario une somme en capital de 100 000 $ qui sera investie dans une obligation négociable rapportant un intérêt annuel de 7 %. Bien sûr, Hélène devra après le transfert continuer à déclarer dans ses déclarations fiscales le revenu de 7000 $ par année qui sera généré par l'obligation. Par ailleurs, si Mario réinvestit ladite somme de 7000 $ chaque année dans une obligation produisant également un revenu annuel de 7 %, c'est une somme de plus de 26 000 $ qui, au bout de 10 ans, ne sera pas assujettie aux règles d'attribution.

POUR LES ENFANTS MINEURS : OPTEZ POUR LES GAINS EN CAPITAL

Les règles d'attribution ne s'appliquent pas aux gains en capital qui sont produits par des biens transférés à un enfant mineur. Il est donc fort avantageux sur le plan fiscal de transférer à vos enfants qui n'ont pas encore atteint l'âge de 18 ans des actifs susceptibles de connaître une forte croissance de valeur dans l'avenir. Par exemple, vous pourriez, comme nous le verrons plus loin, transférer à une fiducie entre vifs établie au bénéfice de vos enfants mineurs des titres boursiers de petite capitalisation ne générant habituellement pas de revenus de dividendes mais qui peuvent être appelés par ailleurs à s'apprécier avec le temps. Cette stratégie fera en sorte que vous pourrez imposer les gains en capital provenant de l'aliénation des biens à un taux d'imposition réduit, soit celui de vos enfants. Bien entendu, comme nous l'avons exposé plus haut, vous devrez toutefois payer des impôts sur la plus-value de ces titres qui s'est accumulée entre le moment où vous en avez fait l'acquisition et celui où vous vous en êtes départi au profit de vos enfants.

TRANSFÉREZ DES BIENS À LEUR JUSTE VALEUR MARCHANDE

Si vous possédez des biens destinés à connaître une appréciation de valeur importante, faites échec aux règles d'attribution en transférant ces biens à votre conjoint à leur juste valeur marchande. Évidemment, il vous faudra prendre en compte que le transfert des biens à leur juste valeur marchande pourra entraîner pour l'auteur du transfert la réalisation d'un gain en capital imposable au moment de ce transfert. Il y aura donc lieu de soupeser les avantages sur le plan fiscal avant de procéder à la réalisation d'une telle transaction.

▶ **EXEMPLE**

Vous avez dans votre portefeuille des actions de la société Médicam qui vient de réaliser une découverte médicale fort importante. Les actions acquises au coût de 8 $ l'unité valent maintenant 10 $ et on s'attend à ce que d'ici deux ans cesdites actions vaudront plus de 100 $ chacune. Il pourrait donc être avantageux de transférer ces actions à leur valeur actuelle à votre conjoint si ce dernier est assujetti à un taux d'imposition inférieur au vôtre. Bien sûr, vous devrez déclarer lors du transfert un gain de 2 $ par action. Toutefois, tout gain en capital qui sera réalisé ultérieurement sera imposable entre les mains de celui des deux conjoints qui a le plus faible taux d'imposition.

POUR LES ENFANTS MAJEURS : VOUS AVEZ LE FEU VERT

Si vous comptez transférer à vos enfants majeurs des biens susceptibles de produire des revenus d'intérêts ou de dividendes ou même des gains en capital, ne vous souciez pas des règles d'attribution. Ces dernières ne peuvent pas s'appliquer dans une telle situation. Par ailleurs, si vous songez plutôt à prêter des sommes d'argent à vos enfants majeurs, n'oubliez pas de le faire au taux prescrit.

LA FIDUCIE : UN CONTRIBUABLE À PART

En termes simples, disons que la fiducie constitue une entité particulière qui résulte d'un acte par lequel une personne qu'on appelle le « constituant » transfère à un patrimoine qu'il crée de toutes pièces et qu'on appelle la « fiducie » des biens qu'il affecte à une fin particulière, lesquels biens seront soumis à l'administration d'un ou plusieurs « fiduciaires ». Le patrimoine de la fiducie est totalement distinct de celui du constituant, du fiduciaire et du bénéficiaire. C'est pour cette raison que l'on dit souvent que la fiducie a son propre patrimoine qui n'appartient à personne.

LES ACTEURS DE LA FIDUCIE

Ils sont au nombre de trois: le constituant, le fiduciaire et le bénéficiaire. Chacun d'eux a un rôle bien défini à jouer dans la fiducie.

Le constituant

C'est lui qui est à l'origine de la création de la fiducie. Il est responsable de constituer la fiducie, d'en définir les règles d'administration et de fonctionnement et de transférer au patrimoine fiduciaire des biens qu'il possède.

Le fiduciaire

Nommé par le constituant, il peut s'agir d'une personne physique ou d'une société autorisée à exercer la fonction de fiduciaire par la loi. Il peut y avoir plusieurs fiduciaires et le constituant peut lui-même être du nombre pour autant qu'il agisse conjointement avec un autre fiduciaire qui n'est ni constituant ni bénéficiaire. C'est lui qui a la maîtrise et l'administration exclusive du patrimoine fiduciaire. Il exerce ses fonctions dans le cadre des pouvoirs qui lui ont été conférés par le constituant, dans l'acte établissant la fiducie, ou, à défaut, selon la loi, et il doit agir dans le meilleur intérêt du bénéficiaire.

Le bénéficiaire

Il est celui pour qui la fiducie a été constituée. Il peut être désigné par le constituant, par le fiduciaire ou même par un tiers à qui on a confié la tâche de procéder à l'élection des bénéficiaires. Il peut y en avoir plusieurs et le constituant peut se réserver le droit de participer aux avantages que la fiducie procure à ses bénéficiaires. Certains bénéficiaires peuvent avoir le droit de recevoir les revenus de la fiducie (intérêts, dividendes, loyers) alors que le capital (actions, obligations, immeubles) peut être remis ultimement aux mêmes bénéficiaires ou à d'autres, à l'époque et de la manière établies dans l'acte constitutif de la fiducie.

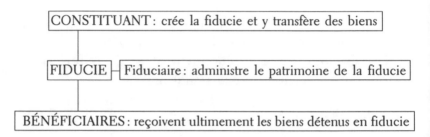

CONSTITUANT : crée la fiducie et y transfère des biens

FIDUCIE — Fiduciaire : administre le patrimoine de la fiducie

BÉNÉFICIAIRES : reçoivent ultimement les biens détenus en fiducie

POURQUOI UNE FIDUCIE ?

Il existe de nombreuses raisons qui peuvent amener un individu à mettre sur pied une fiducie. Voici les plus courantes :

- assurer le bien-être matériel d'un parent atteint d'une incapacité mentale ou physique ;
- subvenir aux besoins d'un enfant ;
- préserver le caractère confidentiel de ses affaires ;
- mettre des biens à l'abri de ses créanciers ;
- assurer le bien-être matériel d'une personne en laissant le capital à une autre ;
- fractionner des revenus imposables pour réduire la charge fiscale familiale ;
- geler la valeur fiscale d'un bien afin de retarder ou de diminuer le paiement de certains impôts.

Bref, les occasions de tirer avantage de la fiducie sont multiples et variées. Malheureusement, il n'est pas facile de trouver des renseignements fiables sur les fiducies qui puissent être facilement accessibles. Notre intention n'est pas de simplifier à outrance les règles d'application qui sont parfois fort complexes tant sur le plan légal que fiscal mais plutôt de faire naître chez vous un intérêt pour cet outil de planification financière et successorale fort efficace. Les coûts engendrés pour la constitution et l'administration de certains types de fiducies peuvent être disproportionnés par rapport aux avantages que vous pourrez en tirer. Si vous voulez en connaître davantage et possiblement passer aux actes et profiter de la fiducie, prenez d'abord conseil auprès d'une personne compétente qui en connaît les mécanismes. Cela vous évitera bien des écueils et des désagréments futurs. Les règles des fiducies sont fort complexes et certaines situations peuvent nécessiter le recours à des fiscalistes ou des juristes qui possèdent une expertise particulière en la matière.

LES TYPES DE FIDUCIES

Bien qu'il puisse exister plusieurs types de fiducies, nous nous attarderons particulièrement à celles qui sont les plus utilisées dans le contexte d'une planification financière, fiscale ou successorale pour un particulier; la fiducie testamentaire et la fiducie entre vifs. Dans le tableau de la page suivante vous trouverez une description sommaire des distinctions les plus importantes à souligner entre ces deux formes de fiducies. Voyons maintenant la mécanique de ces types de fiducies plus en détail avec quelques illustrations pratiques qui vont nous permettre de mieux apprécier leur utilité respective.

FIDUCIE ENTRE VIFS VS FIDUCIE TESTAMENTAIRE

AU NIVEAU LÉGAL

Fiducie entre vifs:
- est fonctionnelle du vivant du constituant;
- est créée par acte de fiducie.

Fiducie testamentaire:
- est fonctionnelle après le décès du constituant;
- naît de l'exécution d'une disposition d'un testament ou à l'occasion de la liquidation d'une succession.

AU NIVEAU FISCAL

Fiducie entre vifs:
- les revenus de la fiducie sont imposés au taux marginal d'imposition le plus élevé;
- son année d'imposition correspond à l'année civile.

Fiducie testamentaire:
- les revenus de la fiducie sont assujettis aux taux progressifs d'imposition comme tout particulier, la fiducie n'ayant toutefois pas droit de réclamer les crédits personnels;
- on peut opter pour une fin d'année d'imposition qui ne corresponde pas à l'année civile.

La fiducie testamentaire

Après avoir vu le tableau précédent concernant les particu-larités distinctives de la fiducie entre vifs et de la fiducie testa-mentaire, on concevra aisément que le principal avantage de cette dernière réside dans le fait qu'elle est assujettie à un taux d'imposition progressif comme pour tout individu. Bien qu'elle ne puisse toutefois profiter des crédits d'impôts per-sonnels réservés aux particuliers, son utilisation pourra com-porter des avantages considérables sur le plan fiscal dans certaines circonstances. En fait, elle pourra permettre de frac-tionner les revenus découlant du patrimoine d'une personne décédée. Ce fractionnement se fera d'autant plus facilement que les règles d'attribution étudiées précédemment cessent d'avoir effet au décès de celui qui est à l'origine du transfert des biens. De plus, la fiducie testamentaire pourra permettre d'atteindre des objectifs autres que financiers, comme par exemple assurer le bien-être matériel d'enfants mineurs ou de membres de sa famille éprouvant des besoins particuliers. On peut ainsi s'attarder sur trois situations pratiques permettant l'utilisation efficace de la fiducie testamentaire.

- La succession : lorsqu'une personne décède, il peut s'écouler une période de temps plus ou moins longue au cours de laquelle normalement un liquidateur, nommé selon les termes d'un testament ou par les héritiers eux-mêmes, a la charge de procéder au règle-ment de la succession. Ce liquidateur doit selon nos lois fiscales remettre les biens aux héritiers lorsqu'il a reçu le feu vert de Revenu Canada et du ministère du Revenu du Québec. En conséquence, entre le mo-ment du décès et celui de la distribution des biens, la succession constitue en quelque sorte une fiducie testamentaire dont l'exercice financier est déterminé par le liquidateur. Il peut donc être possible d'imposer à l'occasion certains revenus au niveau de la succession plutôt qu'entre les mains des héritiers. Si la succession est assujettie à un taux d'imposition moindre que celui des héritiers, il peut en découler des économies d'impôt appréciables.

▶ **EXEMPLE**

Vincent est décédé le 1er novembre 1997. Il laisse dans sa succession essentiellement des obligations négociables de plus de 200 000 $, lesquelles produisent un revenu annuel de 15 600 $. Selon les termes de son testament, son frère Édouard doit agir comme liquidateur de la succession et les biens doivent être remis à ses deux fils majeurs, Jérémie et Sylvain, seuls légataires universels de la succession. Édouard a choisi comme fin d'exercice financier la date du 1er septembre 1998. Il obtient l'autorisation des autorités fiscales de libérer les biens le 1er septembre 1998 et il procède à la remise des actifs aux héritiers le 2 septembre de la même année. Les intérêts courus entre la date du décès et la fin du premier exercice financier pourront être imposés au niveau de la succession constituant une fiducie testamentaire. On pourra donc en tirer un avantage évident si Édouard et Sylvain sont assujettis à un taux d'imposition supérieur à celui de la fiducie testamentaire.

- La fiducie testamentaire exclusive en faveur du conjoint : bien qu'on puisse également établir une fiducie entre vifs exclusive en faveur du conjoint, il est beaucoup plus fréquent de rencontrer ce type de fiducie dans le cadre d'une planification testamentaire. Il y a principalement trois raisons qui motivent les testateurs à y recourir :

- le transfert des biens du défunt à la fiducie peut se faire en franchise d'impôt, ce qui peut permettre de reporter à plus tard une partie de l'impôt qui serait autrement payable par le défunt à son décès ;
- la fiducie permet d'avantager un conjoint et d'assurer son bien-être matériel sa vie durant tout en protégeant ses enfants en leur attribuant le capital de la fiducie après le décès du conjoint survivant ;
- les fiduciaires peuvent fractionner l'imposition des revenus produits par les biens fiduciaires entre la fiducie elle-même et le conjoint afin de réduire la masse des impôts payables au fisc.

Pour que la fiducie puisse se qualifier de « fiducie exclusive au profit du conjoint », deux règles essentielles devront être respectées et clairement stipulées dans l'acte constitutif :

- Seul le conjoint aura droit aux revenus de la fiducie et ce, sa vie durant.
- Nulle autre personne que ce conjoint ne pourra recevoir, avant le décès de ce dernier, tout ou partie du capital de la fiducie ni même en obtenir l'usage de quelque manière que ce soit.

Retenez qu'il n'est pas obligatoire que le conjoint puisse avoir droit au capital de son vivant. Ce qui importe, c'est que personne, sauf le conjoint si le constituant le désire ainsi, ne puisse recevoir ou obtenir l'usage de tout ou partie du capital avant le décès de ce conjoint. En pratique, on rencontrera souvent des clauses permettant aux fiduciaires de remettre au conjoint tout ou partie du capital de la fiducie s'il est souhaitable de le faire pour assurer à ce conjoint un niveau de vie acceptable selon les circonstances.

Il faut donc être vigilant dans la rédaction du document qui constitue la fiducie pour que cette dernière puisse se qualifier de «fiducie exclusive au profit du conjoint». Les conditions ci-dessus énumérées sont impératives et la sanction de leur non-respect est la perte du droit au transfert des biens sans incidence fiscale au décès.

- La fiducie en faveur d'un mineur: bien des parents s'inquiètent de la manière dont leurs biens seront administrés et remis à leurs enfants mineurs s'ils devaient décéder prématurément. Ces derniers auront-ils la maturité nécessaire à 18 ans pour utiliser à bon escient leur part d'héritage? Qui administrera les biens jusqu'à ce qu'ils soient devenus majeurs? De nombreuses questions hantent leur esprit et ils voudraient bien pouvoir prévoir une telle éventualité dans leur testament. Le mécanisme de la fiducie leur en offre la possibilité.

Sachez d'abord que lorsqu'une personne laisse parmi ses héritiers un légataire qui n'a pas atteint l'âge de la majorité, la tâche d'administrer les biens du mineur revient à un tuteur qui, en l'absence des parents de l'enfant, peut être désigné dans un testament ou, à défaut de stipulation à cet effet, nommé normalement par un tribunal de parents sur avis du conseil de tutelle. Bien sûr, dans un premier temps, ce sera le liquidateur qui aura pour fonction de régler la succession et, par voie de conséquence, administrer les biens faisant partie de l'actif successoral. Toutefois, il devra cesser ses fonctions dès qu'il sera en mesure de distribuer les biens successoraux aux héritiers. C'est à ce moment qu'il devra remettre les biens dévolus à un mineur à son tuteur ou à une fiducie testamentaire créée pour le mineur, si le testateur en a voulu ainsi.

Si aucune fiducie testamentaire pour le mineur n'a été constituée, le tuteur devra administrer les biens avec les pouvoirs que la loi lui confère et qu'on a vus dans un chapitre précédent. À l'âge de 18 ans, le tuteur devra rendre un compte définitif de son administration au mineur et ce dernier aura alors la pleine jouissance des biens qui lui ont été laissés. La fiducie va permettre quant à elle d'accorder des pouvoirs plus étendus sur les biens légués aux fiduciaires et elle laissera surtout au testateur toute latitude pour déterminer de quelle manière et quand les biens détenus dans la fiducie lui seront remis. En présence d'une part d'héritage assez importante on pourrait par exemple déterminer que l'enfant touchera au tiers du capital détenu en fiducie à l'âge de 18 ans, à l'autre tiers à 25 ans et au résidu lorsqu'il atteindra l'âge de 30 ans. De plus, la fiducie testamentaire offre la possibilité, comme on l'a vu précédemment, de fractionner judicieusement les revenus générés par le capital détenu en fiducie, ce qui ultimement profitera aux bénéficiaires du capital.

On pourrait également utiliser à profit la fiducie testamentaire lorsqu'on prévoit compter parmi nos héritiers une personne qui a démontré par le passé qu'elle avait de la difficulté à contrôler ses dépenses. Personnellement, il m'est arrivé de suggérer la constitution de fiducies testamentaires à des parents qui souhaitaient avantager par testament un enfant éprouvant des problèmes de toxicomanie ou aux prises avec la passion du jeu. Le fiduciaire choisi aura alors pour principale tâche d'assurer le bien-être matériel de l'enfant tout en lui évitant de dilapider les biens de la succession. En certaines occasions, le recours à un fiduciaire institutionnel peut s'avérer nécessaire dans de telles circonstances. Enfin, la fiducie est encore le véhicule par excellence lorsqu'on désire léguer des biens à une personne souffrant de déficience mentale ou physique et incapable d'administrer ses affaires.

Comme vous avez pu le constater, la fiducie testamentaire offre des possibilités de planification successorale fort intéressantes. Elle constitue de plus un outil de planification fiscale extrêmement précieux. En effet, puisqu'elle est assujettie aux taux d'imposition progressifs, on pourra l'utiliser pour augmenter le nombre de contribuables et pour réduire en conséquence le fardeau fiscal global des actifs successoraux. Il peut donc y avoir un avantage évident à créer autant de fiducies testamentaires qu'il y a d'héritiers à avantager. Il faut cependant être prudent et ne pas multiplier à outrance le nombre de fiducies testamentaires, car si le fisc peut conclure que les revenus de différentes fiducies reviennent dans les faits au même bénéficiaire ou au même groupe de bénéficiaires, il pourra considérer plusieurs fiducies comme n'en formant qu'une seule.

La fiducie entre vifs

Rappelez-vous que le constituant d'une fiducie peut être nommé fiduciaire pour autant qu'il partage cette dernière tâche avec un cofiduciaire qui, lui, n'est ni constituant ni bénéficiaire de cette même fiducie. Voilà donc un attrait important de la fiducie entre vifs permettant à une personne de transférer des biens à une fiducie pour l'avantage de certains bénéficiaires tout en conservant un certain contrôle sur les biens détenus en fiducie. Par contre, la fiducie entre vifs comporte deux handicaps de taille par rapport à la fiducie testamentaire :

- les règles d'attribution limitent considérablement les possibilités de fractionnement des revenus ;
- la fiducie entre vifs est assujettie au taux d'imposition marginal le plus élevé.

Il ne faudrait pas oublier non plus que le transfert de biens à une fiducie entre vifs peut entraîner la réalisation des gains en capital imposables sur certains biens qui peuvent faire l'objet d'un transfert et qui se seraient appréciés depuis la date de leur acquisition par le constituant.

Nonobstant les contraintes ci-dessus exposées, il reste que la fiducie entre vifs peut encore permettre un certain fractionnement des revenus si elle est structurée convenablement. De plus, on peut désirer y recourir pour des fins tout à fait légitimes autres que fiscales. Voyons succinctement quelques applications pratiques des fiducies entre vifs.

- La fiducie familiale : maintenant que vous connaissez les règles d'attribution des revenus et des gains en capital que nous avons exposées plus avant et que vous savez que ces règles reçoivent également application lorsque les biens sont transférés à un de vos proches indirectement, comme par le biais d'une fiducie, il vous est facile de voir quels scénarios peuvent être intéressants sur le plan fiscal.

Par exemple, si parmi les bénéficiaires d'une fiducie entre vifs on compte des mineurs, les revenus qui leur seront distribués seront normalement imposables dans les mains du constituant. Si la fiducie leur remet plutôt des gains en capital, ces derniers seront imposables selon le taux d'imposition des bénéficiaires mineurs. Si c'est le conjoint qui est bénéficiaire, revenus et gains en capital seront imposables au niveau du constituant. Au contraire, si la fiducie compte parmi ses bénéficiaires des enfants majeurs, revenus et gains en capital seront imposables entre les mains de ces derniers selon leur taux d'imposition, les règles d'attribution n'ayant aucun effet à leur égard.

Bénéficiaires	Revenu	Gain en capital
Conjoint	Attribué au constituant	Attribué au constituant
Enfant mineur	Attribué au constituant	Pas d'attribution
Enfant majeur	Pas d'attribution	Pas d'attribution

• La fiducie de protection d'actif : les nouvelles dispositions du Code civil du Québec permettent au constituant d'être à la fois un des fiduciaires d'une fiducie et d'en être le bénéficiaire. Cela en fait donc un véhicule attrayant pour mettre à l'abri des créanciers les biens d'un constituant.

En effet, la création d'une fiducie impliquant le transfert de biens du patrimoine du constituant au patrimoine fiduciaire, le résultat de l'opération fait en sorte que les biens n'appartiennent plus par la suite à l'auteur de la fiducie et qu'ils ne peuvent être l'objet d'une saisie de la part d'éventuels créanciers de ce dernier.

Bien sûr la fiducie de protection d'actifs ne doit pas être envisagée lorsqu'une personne est confrontée à des difficultés financières pouvant la conduire à une faillite éventuelle. Par contre, il est bien légitime de vouloir mettre à l'abri certains de ses biens personnels lorsqu'on sait pertinemment par exemple que notre travail peut nous amener à être l'objet de poursuites ou que nous envisageons de participer à une opération financière risquée. Il faudra donc constituer une telle fiducie lorsque la situation financière de son auteur est irréprochable afin de prévenir une situation indésirable et non dans le but d'y remédier. Enfin, sur le plan fiscal, la fiducie de protection d'actifs n'offre aucune possibilité de fractionnement ni de report d'impôts. L'intérêt d'y recourir ne se situe donc pas habituellement à ce niveau.

En d'autres circonstances, on pourra recourir à la fiducie entre vifs dans le contexte d'un gel successoral ou pour détenir des immeubles résidentiels. Ces cas sont plus rares en pratique et ils sont suffisamment complexes pour que l'on ne s'y attarde pas davantage.

L'IMPOSITION DES FIDUCIES

Les fiducies sont imposées comme tout autre contribuable sauf qu'elles n'ont pas droit de réclamer les crédits personnels qui sont réservés aux personnes physiques.

La fiducie entre vifs est assujettie au taux marginal d'imposition le plus élevé qui excède 50% alors que la fiducie testamentaire peut bénéficier de la progressivité des taux. Il lui est toutefois permis de déduire les revenus et les gains en capital qui sont ou doivent être versés à leurs bénéficiaires avant la fin de son année d'imposition. Par ailleurs, les revenus et les gains soustraits de l'impôt au niveau de la fiducie devront être ajoutés aux revenus imposables des bénéficiaires.

Les revenus et les gains en capital qui ne sont pas remis aux bénéficiaires devront être imposés au niveau de la fiducie. Il est donc possible de faire en sorte que l'imposition puisse se réaliser au niveau de la fiducie ou des bénéficiaires, selon ce qui est le plus avantageux.

Par ailleurs, hormis le cas où le bénéficiaire est une personne qui est affectée d'une déficience mentale ou physique, il n'est pas possible d'imposer, au niveau du bénéficiaire, des revenus ou des gains qui ne sont pas payés ou payables à ce bénéficiaire et qui demeurent dans la fiducie.

Lors de la constitution d'une fiducie, il importe de tenir compte de la règle dite « règle des 21 ans ». Cette dernière veut qu'à tous les 21 ans, les biens d'une fiducie soient réputés avoir été vendus et acquis de nouveau le même jour à leur juste valeur marchande. Il s'ensuit donc que la fiducie pourra devoir payer des impôts liés aux gains en capital réalisés lors de cette disposition réputée. Si la fiducie ne dispose pas des liquidités nécessaires pour affronter la charge fiscale pouvant en découler, il peut y avoir des conséquences néfastes tant pour la fiducie que pour ses bénéficiaires.

Certaines fiducies établies en faveur des bénéficiaires dits « privilégiés » pouvaient jusqu'à récemment reporter cette disposition réputée jusqu'au décès du dernier bénéficiaire privilégié. Cette règle d'allègement sera abolie à compter du 1er janvier 1999 et ces fiducies seront alors réputées avoir disposé de leurs biens à cette même date. Si vous êtes touché par ces nouvelles mesures fiscales, consultez votre comptable ou fiscaliste afin de planifier vos affaires avant la date fatidique.

L'ACTE DE FIDUCIE

La fiducie testamentaire est créée par testament. C'est donc dans ce document que l'on retrouvera la description des biens devant composer le patrimoine fiduciaire, le nom de ceux qui auront la charge de l'administrer, les pouvoirs qui leur seront conférés ainsi que l'identité des bénéficiaires ou la manière dont ils seront déterminés.

Pour la fiducie entre vifs, ces informations seront comprises dans l'acte de fiducie qui doit être fait devant notaire. La rédaction de cet acte doit être faite avec soin afin d'éviter les nombreux écueils sur le plan légal ou fiscal qui guettent la fiducie. Il revient au constituant de déterminer l'étendue des pouvoirs des fiduciaires et de dicter les règles de fonctionnement de la fiducie. Les clauses de chaque acte doivent être établies en fonction de votre situation particulière et de vos besoins. Elles devront donc être minutieusement élaborées par un notaire qui possède une expertise en cette matière, car un acte déficient pourra vous faire subir des préjudices importants.

Voilà un bref tour d'horizon de certaines possibilités d'utilisation des fiducies dans un contexte de planification financière, fiscale ou successorale. Nous vous avons exposé les principales règles à connaître et vous avez pu constater qu'il s'agit d'un domaine assez complexe, ce qui explique peut-être pourquoi fort peu de gens y ont recours alors qu'ils pourraient en tirer un avantage indéniable. Si vous croyez que la constitution d'une ou plusieurs fiducies pourrait vous être utile, consultez d'abord un spécialiste en la matière qui saura vous conseiller adéquatement et qui pourra vous permettre de parvenir à vos fins sans désagrément et en toute sécurité.

QUESTION

Mon conseiller financier m'a suggéré d'ouvrir un compte bancaire en fidéicommis pour mon fils André. J'y ai versé une somme de 50 000 $ et le compte a été immatriculé de la manière suivante : « Jonathan Lavoie en fidéicommis pour André Lavoie ». S'agit-il d'une fiducie entre vifs ?

RÉPONSE

Absolument pas, principalement pour deux raisons :

- la fiducie entre vifs au Québec doit être constituée par acte notarié portant minute ;
- le constituant ne peut être fiduciaire que s'il exerce cette fonction avec un cofiduciaire qui n'est ni constituant ni bénéficiaire. Or dans le cas qui nous préoccupe la fiducie ne serait pas valable parce qu'il n'y aurait qu'un seul fiduciaire qui serait également le seul constituant de cette fiducie.

Malheureusement, cette pratique est répandue et découle du fait qu'il est possible dans les autres provinces canadiennes de constituer une fiducie par simple déclaration d'intention clairement exprimée. Or de nombreuses banques, sociétés de fiducie ou fonds d'investissement utilisent à tort au Québec des documents venus d'ailleurs sans vraiment connaître les particularités du droit québécois. Méfiez-vous des conseillers financiers qui osent s'aventurer sur le terrain miné des fiducies sans posséder les connaissances juridiques nécessaires pour traiter du sujet.

Un tel transfert des biens du parent à son fils n'est donc pas valable selon le droit québécois, ce qui a pour conséquence de faire en sorte que les biens ne sont jamais sortis du patrimoine du parent. En cas de difficultés financières de ce dernier, ces biens pourront donc être saisis par les créanciers impayés.

Le parent ne tirera donc aucun avantage de cette stratégie, car il devra s'imposer sur tout gain et tout revenu tiré des actifs transférés. En fait, tant sur le plan légal que sur le plan fiscal les biens seront toujours présumés lui appartenir avec toutes les conséquences qui s'ensuivent.

QUESTION

Les prestations fiscales pour enfant ou allocations familiales peuvent-elles être imposées au niveau de l'enfant?

RÉPONSE

Il semble que les autorités fiscales admettent que ces actifs puissent générer des revenus qui seront réputés appartenir à l'enfant s'ils sont versés dans un compte bancaire ouvert par le parent en fidéicommis pour son enfant tel que ci-dessus mentionné. Il faudra toutefois se garder de verser dans ce compte des sommes d'argent provenant d'autres sources.

CONSEIL

Pensez à la substitution comme alternative à la fiducie

Il y a substitution lorsqu'une personne reçoit des biens par donation ou par testament avec l'obligation de les rendre à une autre personne après un certain temps. Il s'agit d'un concept particulier au droit québécois qui, sur le plan fiscal, est reconnu comme une fiducie. On pourrait donc recourir à ce mécanisme qui peut comporter à l'occasion certains avantages par rapport à la fiducie. Parlez à votre notaire de l'opportunité de vous en prévaloir. Il saura vous expliquer en détail les règles qui sont propres aux substitutions et vous conseiller dans le choix du véhicule approprié selon votre situation personnelle.

OISEAUX MIGRATEURS :
PRÉPAREZ VOS ENVOLÉES !

> « On me demandait l'autre jour : Qu'est-ce
> que vous faites ? Je m'amuse à vieillir, répondis-je.
> C'est une occupation de tous les instants. »
>
> PAUL LÉAUTAUD

Vivre quelques mois par année sous des cieux plus cléments tout en conservant son lieu de résidence au Québec peut exiger de longs préparatifs. L'impôt, les douanes et les soins de santé figurent au nombre de nos préoccupations les plus importantes lorsque l'on est dans une telle situation.

Il m'apparaissait essentiel dans un ouvrage traitant de planification financière, fiscale et successorale d'aborder ces questions qui touchent un nombre croissant de Québécois. J'ai donc tenté bien humblement d'apporter des réponses simples et concises aux problèmes et aux questions les plus fréquemment rencontrés.

J'ai d'abord voulu traiter des soins de santé et des protections d'assurance qui sont offerts aux voyageurs hors Québec. Nombreux sont ceux qui ont vécu un véritable cauchemar sur le plan financier pour avoir sous-estimé le coût des frais médicaux et hospitaliers à l'étranger. Étant donné qu'au Québec ces frais sont généralement assumés par la Régie de l'assurance-maladie, il nous est souvent difficile d'apprécier la valeur des soins de santé qui nous sont prodigués. Sachez que les frais médico-hospitaliers d'urgence suite à un accident ou une maladie peuvent facilement se compter en dizaines de milliers de dollars. Il importe donc de bien connaître les risques et de décider si vous pouvez vous permettre de les assumer seuls. Dans la négative, il faudra bien connaître les limites des protections disponibles.

En second lieu, j'ai abordé les principales questions d'ordre fiscal dont on doit tenir compte lorsqu'on veut détenir un certain nombre d'actifs en territoire américain. L'impôt sur les successions et celui des non-résidents peut frapper certains d'entre vous et j'estime qu'il est souhaitable de connaître à l'avance les implications fiscales des choix que nous effectuons.

Enfin, les règles de base concernant l'importation au Canada de certains articles courants nous sont pour la plupart assez familières. Mais qu'en est-il lorsque nous voulons importer ici un véhicule automobile acquis au cours d'un séjour en sol américain? J'ai tenu à vous expliquer en quelques lignes quels sont les principaux points à considérer avant de passer à l'acte.

LES SOINS DE SANTÉ

Si vous deviez éprouver de sérieux problèmes de santé aux États-Unis et que votre état devait nécessiter des soins médicaux d'urgence, sachez que, sans assurance adéquate, votre situation financière pourra être durement mise à l'épreuve.

En effet, une journée aux soins intensifs d'un hôpital américain peut coûter plus de 10 000 $ US. Une intervention chirurgicale majeure peut facilement excéder les 100 000 $ US. Avez-vous les moyens d'assumer de tels risques ?

L'ASSURANCE DE BASE

Si vous demeurez habituellement au Québec, possédez une carte d'assurance-maladie et êtes admissible au régime public, votre province d'origine remboursera une partie des frais médicaux et hospitaliers encourus lors de vos séjours à l'extérieur du pays. Vous devez cependant savoir que le fait de demeurer à l'extérieur du Québec pour une période d'au moins 183 jours, consécutifs ou non, au cours d'une même année civile peut vous faire perdre votre statut de bénéficiaire au sens de la Loi sur l'assurance-maladie et de la Loi sur l'assurance-hospitalisation du Québec. Il relève de votre responsabilité d'établir hors de tout doute aux autorités québécoises que vous êtes toujours admissible à la protection d'assurance de base qui vous est offerte par la Régie de l'assurance-maladie du Québec. Si vous ne pouvez établir cette preuve, les conséquences pourront être dévastatrices. En effet, le gouvernement du Québec refusera de vous indemniser et toute protection d'assurance médico-hospitalière complémentaire que vous pourriez avoir négociée auprès d'un assureur privé vous sera également niée.

Certaines dérogations à la règle des 183 jours sont toutefois permises par la loi. Voici les principales :

- Les séjours de 21 jours consécutifs ou moins ne seront pas pris en compte dans le calcul des 183 jours.
- Une fois tous les sept ans, il vous est permis de séjourner à l'extérieur du Québec pour une période excédant

183 jours, mais ne dépassant pas 12 mois, sans perdre pour autant votre droit aux services assurés. Prenez note qu'il est alors préférable d'en aviser la Régie de l'assurance-maladie du Québec avant de quitter.

* Les étudiants qui poursuivent des études à l'extérieur du Québec ainsi que les stagiaires non rémunérés qui sont attachés à temps plein à un établissement universitaire bénéficient de conditions particulières. Il en va de même pour les personnes qui sont appelées à séjourner hors Québec pour les fins d'un emploi ou d'un travail rémunéré. Si vous êtes concerné par cette exception, contactez la Régie de l'assurance-maladie du Québec pour connaître les conditions particulières rattachées à cette situation personnelle.

LES SERVICES ASSURÉS PAR LA RAMQ

Depuis le 1er janvier 1997, seuls les services professionnels et les services hospitaliers sont assurés et remboursés selon les tarifs en vigueur dans la province de Québec. En effet, en raison de compressions budgétaires, on a retiré récemment de la liste des services assurés le coût des médicaments obtenus à l'extérieur de la province. Voyons succinctement les limites de ces protections.

Services professionnels

Les honoraires d'un médecin, d'un optométriste ou d'un dentiste, pour les personnes ayant droit aux services assurés, seront remboursés jusqu'à concurrence des tarifs en vigueur dans la province de Québec.

Services hospitaliers

Les frais reliés aux services hospitaliers reçus en cas d'urgence à la suite d'une maladie soudaine ou d'un accident seront remboursés suivant les limites établies. Ainsi les frais d'hospitalisation sont sujets à une limite journalière de 100 $ sauf pour les traitements d'hémodialyse pour lesquels la limite a été fixée à 220 $ par traitement. Quant aux soins rendus par une clinique externe ou par l'urgence d'un hôpital (y compris les services diagnostiques et thérapeutiques) ne nécessitant pas d'hospitalisation, la limite est de 50 $ par jour. Par ailleurs, pour ce qui est des étudiants, des stagiaires non rémunérés, des employés du gouvernement du Québec ou d'un organisme sans but lucratif ayant son siège social au Canada, des limites particulières peuvent être applicables. Je ne m'y attarderai pas davantage puisque le présent ouvrage s'adresse particulièrement aux Québécois à la retraite.

L'ASSURANCE COMPLÉMENTAIRE

Les montants d'argent qui vous seront remboursés par la Régie de l'assurance-maladie du Québec ne représenteront bien souvent qu'un faible pourcentage des coûts que vous devrez assumer si vous devez être soigné à l'étranger. Dans ces circonstances, la protection complémentaire offerte par des assureurs privés apparaît essentielle dès que l'on anticipe séjourner à l'extérieur du Québec, que ce soit pour quelques mois, quelques semaines ou même quelques heures. Pour vous en convaincre, prenez note de l'exemple suivant qui se passe de commentaires.

▶ **EXEMPLE**

Marcel et Suzanne séjournent habituellement quelques mois en Floride chaque année. Cet hiver, nos deux compatriotes ont connu de sérieux problèmes de santé alors qu'ils étaient aux États-Unis. D'abord, Suzanne a dû fréquenter la clinique externe d'un hôpital de la Floride, car elle a subi une sérieuse fracture à la hanche suite à une mauvaise chute. Les frais hospitaliers s'élèvent à 525 $ pour la journée passée à la clinique. Son conjoint a subi un infarctus au cours du même séjour et il a dû être hospitalisé pour une période de neuf jours. Le total des frais hospitaliers s'élève à 17 475 $. La facture globale pour les soins reçus s'élève donc à 18 000 $, dont seulement 950 $ seront remboursés par la Régie d'assurance-maladie du Québec. Ils devront donc assumer le paiement de plus de 17 000 $ de frais à moins qu'ils n'aient pris soin de négocier une assurance médico-hospitalière privée avant de partir.

LES PROTECTIONS OFFERTES PAR LES ASSUREURS

Selon votre situation personnelle, il peut être plus ou moins justifié de vous prémunir contre certains risques. Il existe donc diverses protections qui sont offertes et que vous pouvez choisir selon les circonstances.

L'assurance médico-hospitalière

Il s'agit en quelque sorte de l'assurance complémentaire à la protection offerte par la Régie de l'assurance-maladie du Québec. Elle couvre les frais médicaux d'hospitalisation, les honoraires de médecins, le coût des appareils médicaux, les honoraires infirmiers, les frais de diagnostic ou de médicaments ainsi que les soins dentaires qui sont requis à la suite d'une situation d'urgence découlant d'un accident ou d'une maladie soudaine alors que le bénéficiaire est à l'extérieur de la province. L'assureur privé couvrira en somme les frais que la Régie n'est pas tenue de rembourser et il n'exécutera sa prestation qu'à la condition que l'assuré n'ait pas perdu son statut de bénéficiaire aux termes de la Loi sur l'assurance-maladie du Québec.

Rappelez-vous toujours que votre assureur pourra refuser de vous indemniser si vous n'avez pas contacté au moment de l'accident ou de la maladie subite le service d'assistance médicale de la compagnie qui est entre autres chargé de vous diriger vers les ressources adéquates. De nombreuses polices d'assurance en font une condition expresse au paiement des indemnités.

Sachez également qu'il est fort probable que l'assureur exige que vous reveniez dans votre province d'origine dès que votre état de santé sera stabilisé pour que vous puissiez y recevoir des traitements complémentaires.

L'assurance-décès ou mutilation par accident

Cette protection couvre la personne assurée contre la perte accidentelle de la vie ou la perte de l'usage d'un ou de plusieurs membres à l'occasion d'un accident subi pendant un séjour à l'étranger. Si vous désirez bénéficier d'une protection d'assurance similaire pour le cas où vous seriez victime d'un accident d'avion, optez également pour « l'assurance-accident de vol aérien ».

L'assurance-annulation ou interruption de voyage

Vous souhaitez vous prémunir contre certaines situations qui pourraient vous amener à devoir annuler votre voyage à l'étranger ? Songez alors à ce type de protection qui doit normalement être souscrite au moment de l'achat de votre billet d'avion ou de votre forfait de voyage.

Des limitations importantes sont décrites dans chaque police d'assurance-annulation ou interruption de voyage. Vous devriez en prendre connaissance avant de donner votre consentement à l'achat d'une telle protection.

L'assurance-bagages

Sujet à certains montants limites de réclamation, vous pourrez faire assurer vos bagages contre les risques de perte ou d'endommagement au cours d'un voyage. Certains effets comme les lunettes, les prothèses dentaires ou l'argent peuvent ne pas être assurés aux termes de la police. Seule une lecture attentive de cette dernière vous permettra de connaître l'étendue et les limites de la protection.

Des options intéressantes vous sont offertes par plusieurs assureurs privés. En effet, il peut être possible d'obtenir une assurance couvrant plusieurs voyages pendant une période de temps déterminée (une saison, une année) ou encore une assurance qui contient toutes les protections décrites plus haut. Bref, vous devriez pouvoir trouver sur le marché le produit qui couvrira les risques que vous tenez à assurer et qui convient à vos besoins.

Si vous deviez présenter une demande de règlement à votre assureur, n'oubliez pas de le faire dans les délais requis selon les termes de votre police et conservez précieusement d'ici là toutes les informations pertinentes ainsi que les factures des frais et honoraires que vous aurez acquittées. De plus, surveillez votre assureur pour qu'il fasse diligence dans le traitement de votre dossier, car la plupart du temps les conditions de la police stipulent qu'aucun intérêt ne vous sera versé sur les sommes qui seront remboursées.

LES IMPLICATIONS FISCALES

Les Québécois qui passent une partie de leur hiver sous les palmiers de Floride ignorent la plupart du temps que les lois fiscales américaines peuvent les concerner. Loin de moi l'idée de vouloir jouer le trouble-fête et d'assombrir le ciel bleu de vos séjours au sud. Toutefois, je m'en voudrais de ne pas vous sensibiliser aux impacts fiscaux des décisions que vous prendrez au cours de ces hivers doux.

Sachez d'abord que cette section du livre intéressera ceux qui ont des investissements aux États-Unis, comme une propriété immobilière, une maison mobile ou des actions d'une société américaine. Ceux qui détiennent une « green card », c'est-à-dire qui ont obtenu le statut de résident permanent des États-Unis, ou ceux qui y travaillent ou y exploitent une entreprise ne pourront pas se contenter des informations suivantes. Les lois fiscales de chacun des pays concernés sont fort complexes et l'interaction entre les deux systèmes peut parfois être source de casse-tête incroyables. Je m'attarderai donc aux intérêts de ceux qui séjournent chaque année une période plus ou moins longue en Floride, sans y travailler mais plutôt comme vacanciers.

Je vous préviens, le sujet est ardu. J'essaierai toutefois de vous transmettre des informations qui vous seront profitables et qui permettront de comprendre un tant soit peu les règles fiscales qui affectent les contribuables qui ont des liens éphémères avec les États-Unis.

Enfin, je souhaite que chacun d'entre vous puisse bénéficier des conseils d'un professionnel compétent. Les lois
fiscales du Canada sont constamment l'objet de modifications. Il en va de même des États-Unis et des conventions
d'harmonisation entre ces deux pays voisins.
Ce texte traitera des cas les plus fréquemment rencontrés
en pratique. Votre situation personnelle peut nécessiter une
tout autre analyse et une attention particulière. N'hésitez
donc pas à recourir à l'expertise d'un comptable ou d'un
fiscaliste qui s'y connaît en la matière.

ÊTRE OU NE PAS ÊTRE RÉSIDENT : LÀ EST LA QUESTION

Si vous séjournez une partie de l'année aux États-Unis vous
devrez vous poser la question à savoir si vous êtes considéré
comme un résident américain selon les lois fiscales. L'enjeu
est important, car si vous en venez à la conclusion que vous
êtes un étranger résident américain, vous devrez payer l'impôt aux États-Unis sur vos revenus de toutes sources, incluant
ceux provenant du Canada. Au contraire, si vous êtes considéré comme un étranger non résident, seuls les revenus
provenant des États-Unis pourront être assujettis à l'impôt
américain. Afin de déterminer quel est votre statut fiscal, il
vous faudra suivre une certaine démarche qui peut, dans
certains cas, s'avérer ardue. Toutefois, nous avons tenté de
vous simplifier la tâche en schématisant quelque peu les
étapes à franchir.
Le premier facteur à considérer est le nombre de jours
passés de l'autre côté de la frontière au cours de l'année fiscale qui vous intéresse. Avez-vous passé moins de 31 jours au
pays de l'oncle Sam au cours de cette année ? Si oui, ne vous
en faites pas, vous êtes assurément un étranger qui n'est pas
résident américain. Vos revenus mondiaux ne seront donc pas

assujettis au fisc américain. Toutefois, il se pourrait que vous deviez quand même remplir une déclaration fiscale des États-Unis si vous avez reçu au cours de cette même année des revenus provenant de l'exploitation d'un commerce aux États-Unis ou si vous avez encaissé des gains ou subi des pertes suite à la disposition d'un « intérêt dans un bien immeuble aux États-Unis ».

Avez-vous plutôt séjourné durant une période comprise entre 31 jours et 182 jours chez nos voisins du Sud ? Il est alors possible que vous soyez considéré comme un étranger résident avec toutes les conséquences qui s'imposent. Afin de déterminer si vous êtes résident américain, vous devrez alors vous demander si vous répondez au critère du « séjour d'une durée importante ». L'exercice consiste à calculer le nombre de jours ou parties de journées que vous avez passés en territoire américain durant l'année en cours et des deux années précédentes. Vous devez donc additionner au nombre de jours passés aux États-Unis au cours de la présente année, $1/3$ des jours de l'année précédente et 1/6 de ceux de la seconde année précédente. Si le total obtenu excède 182 jours, vous serez considéré, selon ce critère, comme un étranger résident.

De nombreux Canadiens séjournent aux États-Unis une période de temps suffisamment longue chaque année pour devoir passer ce test du « séjour d'une durée importante » qui leur permettra d'établir leur statut fiscal. Sachez toutefois que ceux qui vivent un peu plus de quatre mois par année aux États-Unis satisfont à ce critère. Ils sont donc nombreux les Québécois « étrangers résidents américains » qui s'ignorent.

L'exercice est suffisamment complexe pour qu'on doive s'y arrêter davantage au moyen d'un exemple qui permettra de mieux comprendre ce concept.

▶ **EXEMPLE**

Jacqueline possède une maison mobile à Pompano Beach en Floride où elle passe ses hivers à l'abri des grands froids. En fait, au cours des années 1995, 1996 et 1997 elle y a vécu respectivement 120, 120 et 110 jours. Le résultat du test donnera un total de 170 jours soit 110 + ($^1/_3$ x 120) + ($^1/_6$ x 120). Jacqueline ne sera donc pas considérée comme une étrangère résidente pour l'année 1997.

Par ailleurs, si le résultat obtenu au test du « séjour d'une durée importante » devait vous consacrer « étranger résident », il vous sera encore possible de vous en sortir si vous pouvez remplir les conditions suivantes :

- Vous résidez habituellement au Canada et votre résidence dans votre pays d'origine a toujours été à votre disposition au cours de l'année visée.
- Vous avez conservé des liens plus étroits avec le Canada qu'avec les États-Unis. Il s'agit d'une question de faits que l'on appréciera à la lumière des informations suivantes :

  – à quel endroit se trouvent votre résidence permanente, vos activités commerciales s'il en est, votre famille, vos effets personnels ;
  – à quel endroit sont situées les organisations sociales, politiques, culturelles ou religieuses dont vous faites partie ;
  – à quel endroit exercez-vous votre droit de vote et de quelle autorité détenez-vous votre permis de conduire.

Si vous désirez réclamer cette exemption basée sur « les liens les plus étroits », procurez-vous le formulaire 8840 intitulé « Closer Connexion Exception Statement » auprès de l'IRS (Internal Revenue Service) et assurez-vous de l'expédier au plus tard le 15 juin aux autorités fiscales américaines à l'adresse suivante :

Internal Revenue Service Centre
Philadelphia
Pennsylvania
U.S.A. 19255

Un formulaire doit être rempli chaque année pour chaque personne qui désire se prévaloir de l'exemption. Si vous devez produire également une déclaration de revenu au fisc américain, vous pourrez joindre votre formulaire dûment rempli à votre déclaration. Si ce n'est pas nécessaire, rappelez-vous quand même qu'il est très important que vous transmettiez à temps le formulaire 8840 à l'IRS. Le défaut d'agir dans le délai imparti pourrait vous faire perdre votre statut de non-résident et vous assujettir à l'impôt américain.

Enfin, si vous êtes un étranger résident parce que votre résultat au test du « séjour d'une durée importante » excède 182 jours et que vous ne pouvez vous prévaloir des exemptions liées au critère des « liens plus étroits » ou parce que vous avez vécu au moins 183 jours en territoire américain au cours de l'année visée, sachez que l'article IV de la Convention fiscale entre le Canada et les États-Unis peut venir à votre secours. En effet, vous pourriez tout de même être considéré comme un étranger non résident si vous remplissez les conditions suivantes :

- vous êtes, selon les lois fiscales, à la fois un résident du Canada et un étranger résident des États-Unis ;
- votre domicile permanent est au Canada et vos relations personnelles et économiques sont plus étroites avec le Canada qu'avec les États-Unis.

Le formulaire de l'IRS qui vous permettra de vous prévaloir de cette possibilité que vous offre l'article IV de la convention est le formulaire 8833, disponible auprès des autorités fiscales américaines.

Résident vs non-résident

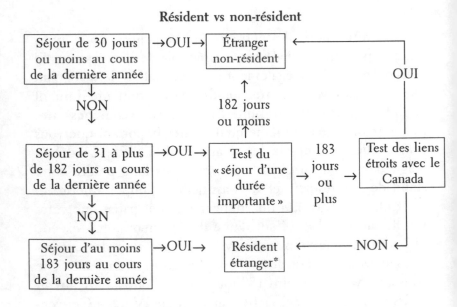

---

* Vous pouvez bénéficier d'une exemption du statut d'étranger résident si vous répondez aux exigences de l'article IV de la Convention fiscale entre le Canada et les États-Unis. Dans le cas contraire, vous serez réputé étranger résident et devrez payer des impôts américains sur vos revenus de toutes provenances.

DOIS-JE PRODUIRE UNE DÉCLARATION FISCALE AUX ÉTATS-UNIS?

Même si à la lecture des informations précédentes vous avez déterminé que votre statut fiscal est celui d'étranger non résident, il se peut que vous deviez produire une déclaration d'impôt au fisc américain pour certains revenus provenant des États-Unis ou certains gains découlant de la disposition d'un bien immeuble situé aux États-Unis.

Les revenus normalement imposables en territoire américain sont ceux tirés de l'exploitation d'un commerce ou d'une entreprise comme les revenus d'intérêts, de dividendes, de loyers ainsi que les rentes ou prestations de retraite.

Dans le cadre de cet ouvrage, nous nous attarderons à la seconde catégorie de revenus qui est celle qui préoccupe davantage ceux qui vivent sans y travailler une partie de l'année en territoire américain. Si les seuls revenus de source américaine que vous touchez au cours d'une année sont des revenus d'intérêts ou de dividendes, vous n'aurez généralement pas à produire une déclaration fiscale au fisc américain. Sachez toutefois que ces revenus pourront être amputés d'une retenue d'impôt prévue par la convention fiscale entre le Canada et les États-Unis. Par ailleurs, la réception de revenus de loyers pourra justifier le dépôt d'une déclaration et ce, même si vous n'avez aucun impôt à payer.

Ce revenu tiré de la location d'un bien immeuble est normalement l'objet d'une retenue à la source par le locataire ou le gérant assurant l'administration de la propriété immobilière. Le taux de cette retenue est fixé par la convention et correspond à l'impôt normalement payable sur tel type de revenu. Toutefois, il vous est possible de traiter ce revenu de location comme un revenu d'entreprise, ce qui permettra de réclamer certains frais d'exploitation et qui vous assurera que seuls vos revenus nets de location seront l'objet d'imposition. Si vous optez pour ce traitement fiscal applicable aux revenus de loyers, vous devrez en aviser l'IRS par lettre. Ce choix est permanent et il s'applique à tous vos revenus de location tirés de biens situés aux États-Unis. Par la suite, vous devrez remettre aux locataires ou aux gérants d'immeuble le formulaire 4224 permettant à ces derniers de ne pas procéder à la retenue d'impôt.

LA VENTE D'UNE PROPRIÉTÉ EN SOL AMÉRICAIN

Les étrangers non résidents qui réalisent des gains ou encaissent des pertes suite à l'aliénation d'une participation dans un bien immobilier situé en territoire américain doivent produire une déclaration fiscale qui fera état du gain ou de la perte. Cette déclaration diffère de celle qui est utilisée par un résident. Il s'agit du formulaire 1040 NR (Nonresident Alien Income Tax Return) qui doit être utilisé par tout étranger non résident qui est tenu de produire une déclaration de revenus au fisc américain.

Lors de la vente, il se pourrait que l'acheteur doive effectuer une retenue de 10 % du prix de vente. Advenant une telle éventualité, retenez que le montant de la retenue sera déductible de tout impôt payable au gouvernement américain et sera remboursable dans la mesure où la somme des impôts payables est inférieure au montant retenu.

L'IMPÔT AMÉRICAIN SUR LES SUCCESSIONS

Comme nous l'avons vu dans un chapitre précédent, il n'y a plus de droits qui sont prélevés sur les successions par le gouvernement canadien ou québécois. Par ailleurs, nos lois fiscales considèrent qu'un contribuable canadien est présumé avoir disposé de ses biens immédiatement avant son décès à leur juste valeur marchande, ce qui peut entraîner la réalisation de gains en capital et faire en sorte que des impôts soient payables en relation avec ce décès.

Nos voisins ont préféré imposer la valeur brute des biens qui sont situés aux États-Unis au moment du décès d'un étranger résident ou d'un étranger non résident. Vous pourrez donc être touché par cet impôt affectant les successions comprenant des biens américains tels que des biens immobiliers, des actions d'une société américaine, des titres de créance émis par des résidents américains y compris ceux qui sont émis par le gouvernement ainsi que tous les autres biens dits personnels (autos, meubles, bateaux, œuvres d'art, bijoux, etc.).

Certaines déductions permises peuvent diminuer la valeur imposable de la succession. La plus connue d'entre elles est la déduction pour la dette hypothécaire sans recours contre le débiteur (*non recourse mortgage*). Ce type d'hypothèque n'existe pas vraiment au Canada. Il s'agit en quelque sorte d'une hypothèque pour laquelle le créancier ne pourra exercer son recours en cas de défaut de l'emprunteur que contre l'immeuble lui-même. Retenez également que la valeur de vos dépôts dans une banque américaine ne sera pas prise en compte pour calculer la valeur imposable de votre succession.

L'impôt fédéral américain sur les successions est calculé à partir d'un taux progressif s'échelonnant entre 18 % et 55 %. Toutefois, sachez qu'en tant que résident et citoyen canadien vous pourrez bénéficier d'un « crédit unifié » de 202 500 $ US. Le montant du crédit que vous pourrez appliquer en

déduction des droits successoraux payables sera plus ou
moins élevé selon que la valeur des biens situés aux États-
Unis est plus ou moins importante par rapport aux actifs que
possède le défunt à travers le monde. Vous pouvez en établir
la valeur à partir de la formule suivante :

$$202\ 500\ \$ \times \frac{\text{Valeur imposable des biens en territoire américain}}{\text{Valeur imposable des biens mondiaux}}$$

Retenez qu'à moins que la valeur totale de votre succession, c'est-à-dire l'ensemble de vos biens à travers le monde,
n'excède 625 000 $, vous ne serez aucunement affecté par les
droits de succession américains. De plus, une autre mesure
d'allègement veut que si la valeur des actifs mondiaux d'un
résident du Canada n'excède pas 1,2 million de dollars américains, seuls les actifs suivants devront servir à établir
l'assiette des biens sujets aux droits successoraux américains :

— les biens immeubles situés aux États-Unis ;
— les biens meubles servant à l'exploitation d'un
commerce ou d'une entreprise aux États-Unis.

Pour terminer cette section portant sur l'impôt américain
sur les successions, illustrons l'application de ces règles par
un exemple concret.

▶ **EXEMPLE**

Céline, qui est citoyenne canadienne et qui demeure de
façon permanente au Canada, a récemment fait l'acquisition
d'un superbe condominium à West Palm Beach. La valeur
marchande des biens que Céline possède aux États-Unis

s'établit à 190 000 $ US. Par ailleurs, on estime qu'elle détient également d'autres actifs à l'extérieur des États-Unis pour une valeur totale de 400 000 $ US.

Si Céline devait décéder sous peu, sa succession serait exemptée des droits successoraux américains, car la valeur totale de ses actifs mondiaux n'excède pas 625 000 $.

Par ailleurs, si cette dernière valeur devait être plutôt de 1 200 000 $ US, c'est un crédit de 30 062 $ US (202 500 $ US x [190 000 $ US ÷ 1 200 000 $ US]) qu'elle pourrait appliquer en déduction des droits successoraux autrement payables. Si ces derniers devaient s'élever à 50 000 $ US, une somme de 19 938 $ US (50 000 $ US - 30 062 $ US) devrait être remise au fisc américain.

Si vous êtes dans une situation qui pourrait entraîner le paiement de droits successoraux américains à votre décès, il serait souhaitable que vous consultiez immédiatement votre conseiller fiscal qui pourra vous suggérer de prendre certaines mesures afin d'éliminer ou de réduire les droits pouvant être payables. Parmi les plus connues de ces mesures, notons les suivantes :

- contracter une hypothèque sans recours contre chacun des immeubles situés en sol américain ;
- acheter tout immeuble en copropriété avec votre conjoint ou toute autre personne ;
- détenir vos actifs américains par l'intermédiaire d'une compagnie canadienne ou d'une fiducie réputée résider au Canada ;
- aliéner vos droits immobiliers avant un décès anticipé.

Enfin, n'oubliez pas que dans la mesure où votre statut fiscal est celui d'étranger non résident des États-Unis, tous impôts ou droits successoraux que vous serez appelé à verser au gouvernement américain pourraient être admissibles au crédit pour impôt étranger au Canada.

Je m'en voudrais également de terminer cette section du volume sans vous rappeler que le texte qui précède ne constitue qu'un bref survol des lois fiscales américaines et de leur impact sur les résidents canadiens. Il ne tient aucunement compte des règles fiscales de chacun des États américains qui peuvent également devoir être prises en considération et ne se préoccupe que des situations les plus fréquemment rencontrées.

Votre situation personnelle peut justifier certaines déductions ou certains impôts particuliers. Votre conseiller fiscal pourra vous aider à évaluer avec plus de précision vos obligations à l'égard du fisc américain. Ma seule préoccupation en rédigeant cet ouvrage était de vous sensibiliser aux règles de base de l'impôt américain destinées principalement aux étrangers et à l'importance de planifier adéquatement ses affaires en vue de minimiser leur impact sur vos avoirs financiers.

IMPORTATION D'UN VÉHICULE

Il est possible d'importer au Canada une autocaravane, une caravane, un camion et une automobile achetés aux États-Unis. En raison de l'Accord de libre-échange nord-américain (ALENA), il n'y a maintenant plus de restriction à l'importation d'un tel type de bien. Vous devrez cependant vous assurer que le véhicule importé respecte les normes de sécurité et d'émission établies par Transport Canada. Il relève de votre responsabilité de vous assurer que votre véhicule est conforme à ces normes ou qu'il pourra être modifié afin de le rendre conforme. Vous pouvez contacter le Registraire des véhicules importés au 1-800-311-8855. Ce dernier sera en mesure de vous indiquer la procédure à suivre pour importer le véhicule et des frais requis pour son enregistrement.

Les taxes et droits à payer

Si votre véhicule est muni d'un climatiseur ou s'il s'agit d'un véhicule de tourisme dont le poids excède 2007 kilogrammes (4425 livres) vous aurez à payer une taxe d'accise.

Vous devrez également payer la taxe sur les produits et services (TPS) et la taxe de vente provinciale (TVQ) qui seront évidemment calculées à partir du coût d'achat du véhicule converti en monnaie canadienne.

Enfin, si le véhicule a été fabriqué aux États-Unis ou au Canada, il pourra être importé en franchise de douane. Par contre, si le véhicule a été fabriqué au Mexique ou à quelque autre endroit, des droits de douane devront être payés lors de l'importation du véhicule.

L'exemple qui suit montre quel serait le coût d'une automobile fabriquée aux États-Unis (Buick Park Avenue, modèle 1998) et importée au Canada. Bien sûr, l'exemple est fait à partir d'un coût et d'un taux de change approximatifs. Vous devrez apporter les modifications nécessaires selon les circonstances.

 EXEMPLE

Prix d'achat : 26 000 $ US
Prix d'achat en monnaie canadienne :
　26 000 $ US x 1,42 = 36 920 $ CA
Droits de douane : 0 $

Taxe d'accise sur le climatiseur : 100 $
Taxe d'accise sur le poids excédentaire : 0 $
Valeur imposable :   37 020 $
(36 920 $ + 100 $)
TPS (37 020 $ x 7 %)   2 591 $
TVQ [(37 020 $ + 2 591 $) x 7,5 %)]   2 971 $
Coût total   42 582 $

Sachez également qu'on vous accordera une déduction pour dépréciation lorsque le véhicule est neuf mais qu'il a été importé plus de 30 jours et moins d'une année suivant sa date de livraison. Dans le cas des véhicules usagés, la valeur qui sera prise en compte sera celle qui est déterminée par le petit livre rouge de l'automobile, publication indépendante utilisée couramment aux États-Unis et au Canada pour établir la valeur marchande d'un véhicule usagé. Enfin, n'oubliez pas que si vous offrez votre vieux véhicule en échange, on ne pourra prendre en considération sa valeur. En fait, la valeur pour fins de taxation sera déterminée uniquement à partir de la valeur marchande reconnue pour le véhicule importé. Enfin, afin de vous ménager des désagréments, conservez tous vos reçus et preuves d'achat. Ils vous seront certainement utiles lorsque vous franchirez les douanes.

QUESTIONS ET RÉPONSES

QUESTION
Lors de mon dernier séjour aux États-Unis, j'ai gagné à la loterie une somme d'argent appréciable. Dois-je la déclarer aux autorités fiscales américaines ?

RÉPONSE

Les gains réalisés au blackjack, au baccara, au jeu de dés, à la roulette et au Loto-6 ne sont pas imposables. Toutefois, les autres gains de jeu ou de loterie le sont. Bien souvent dans ces derniers cas, on prélèvera une retenue fiscale lors de la remise des sommes gagnées. S'il s'agit de votre seule source de revenu américain et que le montant retenu correspond à votre dette fiscale, vous n'aurez pas à produire une déclaration d'impôt. Par ailleurs, vous devrez en produire une si vous voulez déduire vos pertes de jeu de vos gains, ce que vous permet la Convention fiscale entre le Canada et les États-Unis.

QUESTION

Avant mon départ pour les Bermudes j'ai pris une assurance médico-hospitalière pour la durée de mon séjour auprès d'un assureur privé. Il fait si beau que j'aimerais prolonger mon voyage de quelques semaines. Puis-je demander à l'assureur d'augmenter la durée de la protection jusqu'à mon retour?

RÉPONSE

Absolument. Il suffit de communiquer votre demande à votre assureur avant la fin de la période de couverture initiale. Des modifications au niveau de la tarification pourraient toutefois en résulter.

QUESTION

Si je possède une résidence secondaire en Floride dois-je faire un testament aux États-Unis pour planifier le transfert de cet immeuble à mon décès?

RÉPONSE

Non, ce n'est pas nécessaire. Ce peut même être dangereux, car rappelez-vous que le dernier testament est toujours celui qui doit recevoir application. On pourrait donc se retrouver avec des dispositions testamentaires incompatibles dans deux testaments rédigés à des endroits différents et certaines stipulations du second testament rédigé en Floride pourraient venir invalider celles qui avaient été inscrites dans le premier préparé au Québec.

Optez pour une des solutions suivantes :

* Demandez à votre notaire de rédiger, préférablement en anglais, si vous pouvez comprendre cette langue, un testament qui serait valide selon le droit québécois et le droit de Floride. Vraisemblablement, le testament devra alors être signé de préférence en présence du notaire et de deux témoins et l'acte devra être accompagné d'une déclaration sous serment signée par le testateur et les témoins selon la procédure d'authentification requise par le droit de Floride.

* Préparez un testament qui ne vaudra que pour les biens situés aux États-Unis. Ce testament fait en anglais devra être signé par le testateur en présence de deux témoins. Un document annexe devra alors être joint à l'acte. Il s'agit en fait d'une déclaration sous serment dans laquelle les signataires au testament reconnaissent qu'ils étaient tous présents au moment de la signature du document que le testateur reconnaît comme son testament. Rappelez-vous cependant, si vous optez pour cette solution, qu'il est impératif que l'acte établisse clairement qu'il a été rédigé pour prévoir la transmission des biens situés en sol américain

seulement et qu'il n'a pas pour but de révoquer votre testament en sol québécois. Le meilleur conseil que je puisse vous donner est de faire préparer un tel testament par votre notaire qui vous évitera de créer un imbroglio sur le plan juridique et de passer à côté du but visé.

CONSEILS

N'oubliez pas votre ITIN !

Lorsque vous déposez vos déductions fiscales au gouvernement canadien et à celui du Québec, vous devez fournir votre numéro d'assurance-sociale qui permet de vous identifier adéquatement. Si vous devez produire une déclaration au fisc américain, assurez-vous d'obtenir votre ITIN (Individual Taxpayer Identification Number) de l'IRS (Internal Revenue Service) qui est en quelque sorte votre numéro d'identification auprès des autorités fiscales américaines. Il est utilisé pour les fins de l'impôt des États-Unis seulement et il s'obtient au moyen du formulaire W-7 (Application for IRS Individual Taxpayer Identification Number).

Déduisez vos primes d'assurance-maladie

Lorsque vous préparerez vos déclarations fiscales annuelles, n'oubliez pas de déduire, si vos revenus le permettent, les primes que vous avez versées à un régime privé d'assurance-maladie pour couvrir les frais médicaux de vos séjours à l'étranger.

Maîtrisez la volatilité des devises

Ceux qui ont l'habitude de vivre une partie de leurs hivers en territoire américain devraient songer à accumuler en temps opportun des devises américaines. Il est bien désagréable de devoir faire l'achat de dollars américains en quantité appréciable lorsque le cours du dollar canadien est à son plus bas. Pour éviter cette situation, il faut prévoir vos besoins annuels de devises étrangères.

Un bon moyen de le faire est d'ouvrir un compte en devises américaines auprès d'un courtier en valeurs mobilières, auprès d'une compagnie de fonds d'investissement ou d'une banque et d'y accumuler en temps favorable des épargnes libellées en dollar américain. Vous pouvez même utiliser la technique d'achat par paiements périodiques à profit pour ramasser au fil des mois les sommes d'argent nécessaires en devises américaines pour vivre vos hivers aux États-Unis.

SOYEZ GÉNÉREUX ET LE FISC VOUS RÉCOMPENSERA

> « Quand je fais un don,
> c'est un plaisir que je me donne. »
>
> J.J. ROUSSEAU

Après vous être assuré de pouvoir combler les besoins financiers immédiats et futurs de vos proches, il convient de vous demander si vous ne pourriez pas faire preuve de générosité à l'égard des organismes de bienfaisance reconnus par notre société. À l'heure où nos gouvernements sabrent dans tous les programmes sociaux en réduisant de manière importante les budgets consacrés à la santé, à l'éducation, aux services sociaux et à la culture, il devient essentiel que les mieux nantis de notre société prennent la relève et se montrent généreux à l'égard de leur collectivité.

On évalue à environ 75 000 le nombre d'organismes de bienfaisance qui ont été autorisés par Revenu Canada à émettre des reçus pour dons. Ces œuvres dites de charité tentent de répondre à certains de nos besoins sociaux et communautaires. Reconnaissant l'apport essentiel de ces organismes à la qualité de vie des citoyens et constatant par ailleurs la croissance des besoins sociaux, le ministre des Finances du Canada, Paul Martin, a voulu trouver une solution palliative à la réduction du financement publique des organismes sociaux et communautaires. C'est ainsi qu'il a annoncé dans son budget du 6 mars 1996 la mise en place d'avantages fiscaux appréciables pour favoriser la philanthropie au Canada. Plus récemment, dans son budget du 31 mars 1998, le ministre des Finances du Québec a convenu d'harmoniser sa politique en cette matière à celle d'Ottawa, à la grande satisfaction de tous ceux qui œuvrent pour le bien-être de l'humanité.

Les Québécois sont assez familiers avec les campagnes de financement de certains organismes de bienfaisance bien connus et ils ont la réputation de faire preuve de grande générosité lorsqu'on les sollicite pour une cause qui leur tient à cœur. Ils savent donc qu'ils peuvent soutenir de manière ponctuelle un de ces organismes lorsqu'ils le désirent. Toutefois, la plupart d'entre eux ignorent qu'il est possible de « planifier leurs dons » dans le but d'en augmenter la valeur et de bénéficier d'avantages fiscaux appréciables.

La planification de dons devrait donc être envisagée par toute personne qui décide de prendre en main son avenir financier et elle s'inscrit dans la stratégie d'ensemble de toute planification financière et successorale. Évidemment, les considérations fiscales ne doivent jamais constituer la principale motivation qui amène un individu à faire un don. Cette décision doit d'abord provenir du cœur plutôt que de la raison. Par ailleurs, qui oserait se plaindre qu'un acte de générosité puisse également constituer à l'occasion pour le donateur un avantage sur le plan financier.

Nous allons donc regarder de plus près quels sont ces avantages fiscaux offerts par nos gouvernements et voir de quelle manière nous pourrions en tirer profit lorsque nous décidons de soutenir une œuvre de charité. Retenons pour l'instant que la valeur de ces avantages sur le plan fiscal variera selon le type de don privilégié, le taux marginal d'impôt du donateur ainsi que le moment où le don est effectivement réalisé.

LES RÉCOMPENSES DU FISC

Les dons de charité vous permettent de réclamer un crédit d'impôt qui viendra réduire le montant des impôts payables plutôt que la masse des revenus qui sont imposables. Ces crédits varient en fonction de la valeur du don et non du niveau d'imposition du contribuable.

Valeur du don: 1000 $
Crédit d'impôt fédéral:
    200 $ à 17 % =   34 $
    l'excédent à 29 % =   232 $
                    266 $

Réduction de la surtaxe fédérale: 21 $ (8 % du crédit)
Réduction de l'abattement du Québec: 44 $ (16,5 % du crédit)

| IMPÔT FÉDÉRAL ÉPARGNÉ: 243 $ (266 $ + 21 $ - 44 $) |

Crédit d'impôt provincial: 230 $ (23 % x 1000 $)

| IMPÔT PROVINCIAL ÉPARGNÉ: 230 $ |

| IMPÔT TOTAL ÉPARGNÉ: 473 $ |

| **COÛT NET DU DON APRÈS IMPÔT**: 527 $ |

Au fédéral, le crédit s'élève à 17 % sur les premiers 200 $ et il est de 29 % sur l'excédent. Au provincial, le crédit correspond à 23 % du don, quelle que soit sa valeur. À l'impôt épargné s'ajoute la baisse de la surtaxe fédérale et l'abattement d'impôt provincial. Le tableau précédent montre quel serait le coût réel d'un don de 1000 $ pour un contribuable québécois qui serait sujet au taux marginal d'imposition le plus élevé, son revenu imposable excédant 65 000 $.

Le crédit d'impôt pour dons aura permis à notre généreux donateur d'épargner 473 $ d'impôt et son coût réel pour un don de 1000 $ s'établira donc à 527 $.

LES LIMITES DES AVANTAGES FISCAUX

La valeur des dons pour lesquels vous désirez réclamer un crédit d'impôt est assujettie à une limite maintenant identique pour les deux paliers de gouvernement. En effet, au fédéral comme au provincial, un crédit est accordé pour les dons n'excédant pas 75 % du revenu net déclaré. Retenons également que la limite fédérale peut être majorée de 25 % des gains en capital imposables et de 25 % de toute récupération d'amortissement qui pourrait être réalisée lors de dons de biens en capital amortissables. Les dispositions provinciales sont légèrement plus contraignantes en ce sens que la limite de base pourra bénéficier d'une majoration similaire au provincial lorsque l'objet du don sera un bien que le donataire peut utiliser pour remplir sa mission première sans avoir à le vendre.

Par ailleurs, la limite pour les dons faits par un particulier au cours de l'année de son décès ou de l'année précédente a été portée à 100 % du revenu net du contribuable décédé.

Enfin, si vous excédez les limites, il vous sera possible de reporter l'excédent sur les cinq années suivantes. Il s'agit tout simplement de joindre la preuve du don à votre première déclaration dans laquelle vous réclamerez un crédit d'impôt puis de joindre une note à vos déclarations ultérieures afin que les autorités fiscales puissent accepter votre demande de report.

DONS DE BIENS PARTICULIERS

Comme nous l'avons évoqué précédemment, les Québécois ont l'habitude de verser occasionnellement à des organismes de bienfaisance des sommes d'argent. Ils reçoivent habituellement en retour un reçu pour fins fiscales qui leur permet de réclamer un crédit d'impôt. Cependant, outre le don d'argent, il y a beaucoup d'autres possibilités qui sont offertes à celui qui veut faire preuve de générosité à l'égard d'un organisme de bienfaisance. Parmi ces possibilités, notons le don de valeurs mobilières ou immobilières, le don de biens culturels ou d'œuvres d'art et le don d'une police d'assurance-vie ou de son produit. De plus, le don peut prendre diverses formes. Il peut être immédiatement exécutoire ou être sujet à l'arrivée d'un événement comme par exemple le décès du donateur. Bref, les dons peuvent être effectués de diverses façons et nous pouvons maintenant compter sur l'aide de nombreux spécialistes en dons planifiés qui maîtrisent les possibilités de planification financière et successorale liées à chaque type de dons. N'hésitez pas à consulter les conseillers de divers organismes de charité qui pourront certainement vous orienter vers les solutions les plus avantageuses pour vous et pour l'organisme bénéficiaire.

Voyons maintenant quelques exemples de dons planifiés que l'on rencontre assez fréquemment. Nous verrons pour chacun d'eux les principales considérations fiscales intéressantes à connaître.

DON D'UN BIEN IMMOBILIER

Lorsqu'un contribuable décide de donner sa résidence principale de son vivant ou au jour de son décès à un organisme de bienfaisance, il peut se prévaloir d'un crédit d'impôt qui sera calculé d'après la juste valeur marchande du bien au moment où le don est exécuté. Aucun gain en capital ne sera imposable puisque le fisc a exclu expressément des revenus assujettis à l'impôt le gain réalisé suite à l'aliénation de la résidence dite «principale».

Si le bien donné devait être un immeuble à revenus, il pourra y avoir réalisation et imposition d'un gain en capital. Retenez toutefois que le fisc vous permet d'attribuer comme valeur de don n'importe quel montant compris entre le coût fiscal de l'immeuble et sa valeur marchande au moment de l'exécution du don. Prenons un exemple pour illustrer les implications fiscales engendrées par le don d'un immeuble à revenus.

▶ EXEMPLE

David possède un petit immeuble comprenant quatre logis acquis en 1995 pour un coût de base de 50 000 $. En 1998, la propriété a maintenant une valeur marchande de 100 000 $ et David entend la donner à un organisme charitable dont la mission première est d'offrir un logement à des personnes handicapées que l'on désire réintégrer socialement. Il a déjà réclamé pour cet immeuble des déductions pour fins d'amortissement d'une valeur de 10 000 $ de telle sorte que la valeur non dépréciée de l'immeuble s'élève maintenant à 40 000 $. Le spécialiste en dons planifiés lui recommande de choisir comme valeur pour le don une somme de 90 000 $. Voici donc les effets sur le plan fiscal de la réalisation du don de David.

Coût fiscal :   50 000 $
Coût en capital non amorti :   40 000 $
Valeur marchande de l'immeuble :   100 000 $
Valeur du don établie par le donateur :   90 000 $
Autres revenus estimés de David
    pour l'année 1998 :   65 000 $

Le gain en capital réalisé s'élèvera donc à 40 000 $
(90 000 $ - 50 000 $)

Le gain en capital imposable s'élèvera donc à 30 000 $
(75 % x 40 000 $)

La récupération d'amortissement s'élèvera à 10 000 $
(50 000 $ - 40 000 $)

Son revenu net s'établira à 105 000 $
(65 000 $ + 30 000 $ + 10 000 $)

La limite fédérale pour 1998 sera de 88 750 $

([75 % x 105 000 $] + [25 % x 30 000 $] +
[25 % x 10 000 $])

La limite provinciale pour 1998 sera de 88 750 $
([75 % x 105 000 $] + [25 % x [30 000 $ + 10 000 $]])

En conséquence, David devra s'imposer sur un revenu de 105 000 $ en 1998. En présumant un taux d'imposition combiné de 50 %, David devra assumer des impôts additionnels de 20 000 $ (40 000 $ x 50 %). Par ailleurs, il aura droit à un crédit d'impôt fédéral de 25 713,50 $ en 1998 ([200 $ x 17 %] + [88 550 $ x 29 %]) et à un autre crédit d'impôt fédéral de 338,50 $ en 1999 ([200 $ x 17 %] + [29 % x 1050 $]). Au provincial, son crédit d'impôt s'élèvera à 20 412,50 $ (88 750 $ x 23 %) pour l'année 1998 et à un autre crédit d'impôt provincial de 287,50 $ (1250 $ x 23 %) pour l'année 1999. Le don fait par David lui permettra donc de réaliser des avantages fiscaux appréciables. Enfin, sachez que les dons d'une valeur considérable peuvent également entraîner la réalisation de gains en capital importants et le paiement d'un impôt minimum de remplacement. Pour s'éviter des surprises désagréables, il y a donc lieu de planifier avec soin un tel type de don.

DON DE VALEURS MOBILIÈRES

Le particulier qui donne à un organisme de bienfaisance, autre qu'une fondation privée, des valeurs mobilières inscrites à une bourse officielle bénéficie d'un allégement fiscal inté-ressant au fédéral qui s'applique à la plus-value accumulée par le bien donné. En effet, en pareil cas, seulement 37,5 % du gain en capital accumulé est ajouté au revenu imposable du donateur.

   Les biens qui sont admissibles à cette réduction du taux d'imposition comprennent notamment les actions, les obliga-tions et les unités de fiducie mais la majorité des parts de fonds d'investissement ne peuvent bénéficier de ce traitement fiscal tout à fait particulier, car elles ne sont pas cotées en bourse.

   Il devient donc plus avantageux sur le plan fiscal de donner des valeurs cotées en bourse plutôt que de les vendre et de faire don du produit de vente à un organisme de bien-faisance. Pour s'en convaincre, nous allons prendre un exemple illustrant les deux possibilités qui s'offrent au donateur.

Prenons le cas de Victor, qui possède des obligations négociables acquises il y a quelques années alors que les taux d'intérêt étaient à leur sommet. Ces derniers ayant considé-rablement baissé récemment, la valeur des obligations de Victor s'est fort appréciée. En effet, les 50 000 $ investis par Victor en 1990 ont maintenant une valeur marchande de 58 000 $. Notre généreux donateur avait décidé de vendre ses obligations et de faire don du produit de vente à un orga-nisme de charité. Toutefois, un professionnel en don planifié lui a plutôt suggéré de donner les obligations afin de profiter de l'allègement fiscal ci-dessus mentionné. Il s'agit d'un con-seil judicieux puisqu'il en résultera une économie fiscale nette au fédéral d'environ 750 $.

	Vente des obligations et don du produit	Don des obligations
Gain en capital imposable	6000 $ (75 % x 8000 $)	3000 $ (37,5 % x 8000 $)
Impôt sur le gain en capital (taux d'impôt fédéral présumé de 25 %)	1500 $ (25 % x 6000 $)	750 $ (25 % x 3000 $)
Économie d'impôt fédéral : 750 $		

DON D'ASSURANCE-VIE

Quelques possibilités s'offrent à celui qui désire faire bénéficier un organisme de charité d'un montant d'assurance-vie payable à son décès. Le don peut être exécuté du vivant du donateur ou il peut résulter d'une disposition testamentaire ou d'une désignation de bénéficiaire faite par ce dernier. Voyons maintenant les considérations fiscales de chacune de ces options.

Don d'une police existante

Le propriétaire d'une police d'assurance-vie peut en céder la propriété à un organisme de bienfaisance. Comme il s'agit habituellement d'une police d'assurance-vie entière, le donateur pourra recevoir un reçu pour don correspondant à la valeur de rachat ainsi qu'aux dividendes et intérêts qui ont été accumulés. De plus, si la police n'est pas entièrement libérée et que le donateur continue à régler le coût des primes, il pourra réclamer un crédit d'impôt additionnel chaque année pour les sommes versées. Par ailleurs, si la valeur de rachat de la police excède son prix de base, il y aura lieu de déclarer un revenu imposable aux autorités fiscales lors du don. Cependant, le crédit d'impôt viendra certainement annuler l'impact négatif de ce gain additionnel ajouté aux autres revenus du contribuable.

Établissement d'une nouvelle police

Si l'organisme de bienfaisance est à la fois bénéficiaire du produit d'assurance et propriétaire de la police, le donateur pourra réclamer un crédit d'impôt qui sera fonction du coût des primes qu'il assumera chaque année.

Legs d'une police d'assurance-vie

Le montant du don correspondra alors à la valeur de rachat majorée des dividendes et intérêts accumulés. La succession du donateur décédé pourra alors réclamer un crédit d'impôt pour le don dans la dernière déclaration fiscale du défunt.

Nomination du bénéficiaire : dans la police ou dans le testament?

Le fait de désigner un organisme de bienfaisance bénéficiaire d'un produit d'assurance-vie par une disposition de la police elle-même n'entraîne aucun avantage fiscal pour la succession du défunt. Il vaut mieux léguer par testament le produit d'assurance-vie au moyen d'une clause spécifique à cet effet afin que l'on puisse conclure à l'existence d'un véritable don sur le plan fiscal. Le montant d'assurance-vie versé par la compagnie constituera dans ce dernier cas la valeur du don qui donnera ouverture à une réclamation de crédits d'impôt pour don de charité. Toutefois, si l'organisme de bienfaisance est à la fois propriétaire et bénéficiaire désigné de la police d'assurance-vie, les primes versées donneront droit à un reçu pour don que le donateur peut utiliser de son vivant.

UNE OPTION FORT INTÉRESSANTE : LA RENTE DE CHARITÉ

Dans son expression la plus simple, la rente de charité constitue un contrat aux termes duquel un organisme de bienfaisance ou une compagnie d'assurances s'engage à verser à un donateur une somme d'argent pendant une certaine période de temps en considération d'un don qui lui a été fait par ce dernier. Habituellement, on utilise une partie ou la totalité des sommes reçues du donateur pour établir à son bénéfice une rente viagère. Dans la mesure où une partie seulement du don est nécessaire pour constituer la rente convenue, le solde inutilisé pourra permettre au donateur de réclamer un crédit d'impôt pour don. Quant au montant d'argent requis pour mettre sur pied la rente, il ne pourra valoir comme don de charité. Toutefois, une grande partie des sommes reçues par le donateur en sa qualité de rentier ne sera généralement pas imposable puisqu'il s'agit, sur le plan fiscal, tout simplement d'une remise de «capital». En fait, seulement la portion de la rente qui constituera de l'intérêt devra être ajoutée aux revenus du contribuable. Les exemples qui suivent illustrent les conséquences fiscales de l'achat d'une rente de bienfaisance auprès d'un organisme de charité ou auprès d'une compagnie d'assurances.

 EXEMPLE

Prenons le cas d'un donateur qui aura 78 ans au 31 décembre de l'année au cours de laquelle les versements de rente devraient débuter. Supposons que l'on ait convenu d'établir une rente viagère de 5000 $ en échange d'un paiement immédiat de 70 000 $ à un organisme de bienfaisance reconnu par la loi.

Selon les tables actuarielles, publiées par Revenu Canada dans le bulletin d'interprétation 1T-111R2, l'espérance de vie d'un homme de 78 ans est de 10 années. Le donateur peut donc espérer recevoir une somme de 50 000 $ (10 x 5000 $) en versements de rente. Les autorités fiscales reconnaîtront comme valeur du don une somme de 20 000 $, soit la différence entre le montant initial versé par le contribuable (70 000 $) et la valeur totale des versements de rente anticipée (50 000 $) en fonction de l'âge du rentier au moment de la constitution de la rente.

Le donateur pourra obtenir un crédit d'impôt immédiat pour le don reconnu d'une somme de 20 000 $ et il recevra des versements de rente non imposables même s'il vit plus de 10 ans, car on estime que la somme totale des rentes versées devrait être inférieure au montant initial que le rentier a versé pour acquérir la rente de charité. Il s'agit en quelque sorte d'une remise de capital faite par l'organisme de bienfaisance.

Reprenons maintenant l'exemple ci-dessus en changeant uniquement l'âge du donateur. Imaginons-le plutôt à 65 ans.

Son espérance de vie est donc de 18,6 années, ce qui signifie que la somme des rentes qu'il peut espérer recevoir excède le montant disponible pour mettre sur pied la rente viagère (18,6 x 5000 $ = 93 000 $). Il va donc de soi que notre rentier ne recevra pas de reçu pour don de charité.

De plus, le donateur devra ajouter à ses revenus chaque année la portion des versements de rente qui excède la partie de capital reconnue par la loi. Selon nos calculs, une somme d'environ 3750 $ sur les 5000 $ versés annuellement ne sera pas imposable et un montant approximatif de 1250 $ sera ajouté aux revenus du contribuable chaque année.

On peut donc constater que les avantages sur le plan fiscal de la rente de charité sont plus importants lorsque l'espérance de vie du contribuable est réduite. De plus, les rentes peuvent être émises sur la vie des deux conjoints ou de leurs propres enfants.

À l'heure où nos gouvernements sabrent les programmes sociaux et réduisent les prestations sociales des plus fortunés, la rente de charité peut s'avérer un véhicule intéressant pour diminuer l'impact négatif de ces coupures qui touchent les personnes retraitées. Essentiellement, ceux qui disposent d'un revenu net supérieur à 53 215 $ doivent actuellement remettre une partie de leurs revenus de pension de la Sécurité de la vieillesse. À titre d'exemple, si votre revenu net totalise 70 000 $, vous devrez remettre au gouvernement fédéral 2518 $ [15 % x (70 000 $ - 53 215 $)].

En faisant l'acquisition d'une rente de charité auprès d'un organisme de bienfaisance vous pouvez donc vous assurer d'un revenu à vie qui ne sera pas imposable, comme on l'a vu plus haut. Or étant donné que vous avez transféré à l'organisme une somme d'argent assez importante qui normalement aurait produit des revenus imposables, vous réduirez par le fait même votre revenu net et possiblement le montant de revenu de pension qui doit être remis au gouvernement.

Vous pourriez également songer à l'achat d'une police d'assurance-vie dont le produit sera versé à votre succession au jour de votre décès. Vous pourrez ainsi vous assurer de ne pas appauvrir votre succession en établissant la rente de charité et il vous sera loisible d'acquitter les primes requises avec les versements de rente que vous recevrez régulièrement.

Voilà donc quelques suggestions de dons planifiés qui sont les plus usuels et qui gagnent à être mieux connus. Sachez qu'il y a une quantité appréciable de scénarios qui peuvent être envisagés en fonction de votre situation particulière sur le plan fiscal et sur le plan personnel. Les nombreux professionnels qui œuvrent dans le domaine des dons planifiés ne cessent de rivaliser d'imagination et d'explorer toutes les possibilités qui nous sont offertes par les politiques fiscales canadiennes et québécoises.

Sachez enfin que certains dons de biens comme les dons de biens culturels certifiés, les dons d'œuvres d'art et les dons de terres écologiquement vulnérables sont assujettis à des traitements fiscaux particuliers. Il y a donc lieu de bien vérifier auprès de son conseiller financier ou d'un professionnel en dons planifiés l'impact sur le plan fiscal d'un tel type de don.

CONSEILS ET STRATÉGIES

Vérifiez si le bénéficiaire est enregistré

Pour pouvoir bénéficier du crédit d'impôt pour don, il faut joindre à sa déclaration fiscale un reçu émanant d'un organisme de bienfaisance enregistré auprès de Revenu Canada. Afin de vous éviter des surprises désagréables, vérifiez auprès de la Division des organismes de bienfaisance de Revenu Canada si l'organisme auquel vous destinez votre don est bien enregistré en appelant au 1-800-959-7775. On pourra alors vous transmettre le numéro d'enregistrement de l'organisme qui devra apparaître par la suite sur le reçu qui vous sera remis.

Combinez vos dons

Si vous donnez un petit montant d'argent chaque année, il serait peut être préférable dans certaines situations de combiner vos dons pour verser une plus grosse somme. Le crédit d'impôt fédéral étant supérieur lorsque le montant des dons excède 200 $, il peut donc être avantageux d'anticiper ou de retarder la remise de certains dons afin de pouvoir excéder cette limite.

De même, si vous avez déjà versé plus de 200 $ au cours d'une année et que vous envisagez effectuer d'autres dons au début de l'année suivante, il pourrait être souhaitable de le faire plutôt avant la fin de l'année. Vous bénéficierez ainsi du crédit d'impôt une année plus tôt.

Déterminez lequel des conjoints bénéficiera du crédit d'impôt

Peu importe lequel des conjoints a versé le don, le crédit peut être réclamé par celui qui en tirera le plus de profit. Habituellement, à cause de l'impôt progressif et de l'effet des surtaxes, il est plus avantageux d'affecter le crédit d'impôt au conjoint qui a les plus hauts revenus. De plus, sachant que le crédit d'impôt est supérieur lorsque les dons excèdent la somme de 200 $, il peut être stratégiquement rentable qu'un seul des deux conjoints réclame les crédits d'impôt pour dons de la famille.

À titre d'exemple, si chacun des conjoints verse 200 $, le crédit d'impôt total pour la famille s'élèvera à 68 $ au fédéral (200 $ x 17 % x 2). D'autre part, le crédit s'établira à 92 $ si un seul des conjoints se prévaut de la déduction fiscale en inscrivant dans sa déclaration la totalité des dons [(200 $ x 17 %) + (200 $ x 29 %)].

Enfin, le parent qui est le soutien d'un enfant à charge qui obtient un reçu pour don peut réclamer le crédit d'impôt en lieu et place de cet enfant, tout comme si le don avait été effectué par son conjoint.

Établissez la valeur de vos dons

Pour vous éviter des ennuis avec les autorités fiscales, si votre don porte sur un bien personnel désigné (collection, peinture, sculpture, livre rare, œuvre d'art) ou s'il s'agit d'un bien dépréciable, assurez-vous d'obtenir une évaluation professionnelle de la valeur de votre don, particulièrement si vous estimez qu'elle excède la somme de 1000 $.

Pensez aux organismes de bienfaisance en rédigeant votre testament

Une fois que vous aurez assuré la sécurité financière de vos proches par des clauses testamentaires appropriées, ayez une pensée pour les organismes de bienfaisance. Vous pouvez le faire par l'intermédiaire d'un legs testamentaire ou par des dispositions funéraires. En effet, vous pouvez avoir recours à l'un ou l'autre des modèles de legs ci-après ou tout simplement solliciter des dons en faveur d'un organisme particulier auprès de ceux qui voudront bien honorer votre mémoire à votre décès en faisant un geste de générosité.

Voici pour terminer quelques suggestions de clauses testamentaires pour l'établissement d'un legs en faveur d'un organisme de charité :

— Je lègue à titre particulier à _____, la somme de _____ (ou bien, mes actions de la compagnie _____, mes obligations de la ville de _____, ma propriété située à _____), que le conseil d'administration pourra utiliser à sa discrétion.

— Je lègue à titre universel à _____, « x » pour cent (ou bien, 1/2, 1/4, 1/3) de tous les biens meubles et immeubles devant composer ma succession.

— Je lègue tous mes biens meubles et immeubles à _____, pour les fins poursuivies par cette œuvre.

— Je lègue le résidu de tous mes biens meubles et immeubles à _____, pour soutenir cet organisme dans la réalisation de sa mission.

— Je lègue à mon épouse, _____, l'usufruit, durant toute sa vie, de tous les biens meubles et immeubles de ma succession et je lègue la nue-propriété de cesdits biens à

_____, pour que le conseil d'administration puisse en disposer à sa discrétion au décès de mon épouse.

— Si l'un de mes légataires ci-dessus nommés me prédécède, je lègue alors la part de mes biens qui lui était dévolue à _____, pour les fins poursuivies par cette œuvre.

Enfin, dans tous les cas, il serait souhaitable d'insérer la clause suivante :

« Advenant qu'au jour de mon décès _____ n'ait plus d'existence légale, je charge mon liquidateur de remettre l'objet du legs à un ou des organismes poursuivant les mêmes buts et objectifs. »

PRÉVENIR L'IMPRÉVISIBLE AVEC LES ASSURANCES

> « Celui qui meurt cette année
> en est quitte pour l'an prochain. »
>
> WILLIAM SHAKESPEARE

On pourrait classer les types d'assurances disponibles sur le marché en deux grandes catégories : les assurances dommages et les assurances de personnes. Ce qui nous intéressera plus particulièrement dans le cadre de cet ouvrage portant sur la planification financière, fiscale et successorale, c'est l'assurance de personnes et, plus précisément, l'assurance-vie. Nous ne traiterons pas de l'assurance-invalidité, qui est en quelque sorte une sous-catégorie de l'assurance de personnes.

MAIS QUI DONC A BESOIN D'ASSURANCE-VIE ?

La réponse à cette question m'apparaît évidente : celui qui est dans une situation telle que son décès prématuré entraînerait une baisse substantielle du niveau de vie des personnes qui lui sont les plus importantes. En fait, on prend de l'assurance-vie parce que l'on a des responsabilités financières et que l'on ne voudrait pas laisser les êtres qui nous sont les plus chers dans l'embarras au moment de notre décès.

Il s'ensuit donc que tout célibataire sans conjoint et sans dépendant aura généralement des besoins nuls ou minimes en matière d'assurance-vie. Par contre, celui qui a trois enfants en bas âge et dont le conjoint ne travaille pas à l'extérieur du domicile conjugal aura tout intérêt à protéger ses proches en souscrivant à une assurance-vie.

Sur la base de ce raisonnement, on peut également se demander pourquoi certains parents assurent la vie de leurs enfants. Est-ce que la mort prématurée de ces derniers aura un impact sur la situation financière des parents? Permettez-moi d'en douter. Personnellement, je ne vois donc aucun intérêt à assurer la vie d'un enfant. Il se trouve pourtant de nombreux intermédiaires en assurances de personnes pour faire la promotion de ce type d'assurances.

Le coût du maintien d'une assurance-vie est suffisamment important pour que l'on doive planifier avec soin nos besoins d'assurance. Beaucoup de Québécois sont surprotégés et possèdent des assurances-vie tout à fait inappropriées. Par ailleurs, il s'en trouve tout autant pour négliger cet aspect de la planification financière et pour exposer leur famille à des risques indus. Nous tenterons donc de vous aider à identifier vos besoins en assurances-vie et à choisir la protection la plus appropriée dans votre situation.

POURQUOI DE L'ASSURANCE-VIE?

Nous avons vu succinctement que d'ordinaire l'assurance-vie sert à procurer aux personnes qui nous sont chères ou qui nous sont dépendantes des revenus suffisants pour que ces dernières puissent vivre une vie tout aussi confortable qu'avant notre décès prématuré. En conséquence, la motivation la plus courante qui justifie la mise sur pied d'un programme d'assurance-vie est habituellement le désir de couvrir les besoins financiers des membres de la famille d'un assuré après le décès de ce dernier. D'autres considérations peuvent toutefois entrer en ligne de compte pour celui qui veut se doter d'une protection d'assurance-vie adéquate.

Le besoin de partager équitablement un actif successoral entre un certain nombre d'héritiers

À titre d'exemple, si je veux qu'au jour de mon décès mes deux enfants reçoivent une part d'héritage similaire et que, par ailleurs, je souhaite laisser à l'un d'eux un actif substantiel comme une propriété immobilière, il me sera toujours possible d'équilibrer les parts de chacun en laissant un montant d'assurance-vie à l'autre enfant.

Le désir de faire un don important à un organisme sans but lucratif

Le chapitre sur les dons du présent volume vous aura sûrement sensibilisé à l'importance de laisser à son décès une contribution à la société. Le don du produit d'une assurance-vie peut s'avérer le véhicule par excellence pour atteindre ces fins.

Le paiement des frais d'inhumation ou de sépulture qui seront engagés lors de notre décès

Le remboursement intégral
de certaines dettes jugées prioritaires

Il est tout à fait légitime de vouloir libérer à son décès une propriété que l'on possède de toute dette hypothécaire pouvant lui être rattachée. L'assurance-vie-hypothèque est le véhicule tout désigné pour combler ce besoin.

Le besoin de disposer de fonds suffisants pour défrayer le coût des impôts au moment de son décès

Comme nous l'avons vu précédemment, le décès d'un contribuable entraîne la disposition présumée de ses biens à leur juste valeur marchande. Certains gains en capital peuvent donc être réalisés et des impôts substantiels peuvent être payables en raison de ce décès. L'assurance-vie peut alors permettre de couvrir cette dette subite et éviter aux héritiers de devoir réaliser certains actifs afin d'assumer le paiement des charges fiscales.

La volonté d'assurer la survie d'une entreprise

C'est par le biais d'une assurance-vie que deux ou plusieurs associés ou des actionnaires d'une même entreprise peuvent minimiser l'impact du décès de l'un d'eux sur la survie de leur société ou de leur corporation.

Vous pouvez donc constater que de nombreuses situations peuvent nécessiter l'achat d'une assurance-vie. Je vous invite donc à assurer adéquatement les risques que vous ne voulez pas assumer sans tomber toutefois dans l'excès en prenant des protections qui sont inutiles, voire farfelues. Il vous revient d'identifier vos besoins d'assurance-vie et de déterminer les protections les plus adéquates. Ne laissez pas cette responsabilité entre les mains de votre assureur.

QUEL MONTANT D'ASSURANCE
ME SERA NÉCESSAIRE?

La limite de protection que vous devrez envisager dépend de plusieurs facteurs : votre âge, votre situation familiale et financière, les assurances que vous possédez déjà, votre revenu annuel ainsi que votre bilan personnel, vos dettes et enfin les impôts auxquels votre succession sera confrontée à votre décès.

À l'aide d'un exemple concret, voici comment on peut identifier simplement ses besoins d'assurance-vie.

▶ **EXEMPLE**

Louis possède des biens valant plus de 300 000 $. Ces derniers sont composés essentiellement d'un portefeuille de valeurs mobilières d'environ 125 000 $ et d'une résidence estimée à 150 000 $. Il n'a aucune dette personnelle d'importance à l'exception de l'hypothèque qui grève sa maison et dont le solde dû actuellement s'élève à 90 000 $. Louis estime qu'à son décès sa famille aurait besoin de disposer d'un revenu brut annuel de 70 000 $ une fois l'hypothèque payée pour conserver un train de vie acceptable. Fort heureusement, son épouse a un travail permanent assez rémunérateur de l'ordre de 40 000 $. Les deux enfants de Louis sont en bas âge. Le cadet a 3 ans et l'aîné 5 ans.

a) Actif de Louis facilement réalisable :   150 000 $
    Moins dettes payables :
    • frais funéraires (estimation) :   6 000 $
    • hypothèque :   90 000 $
    • autre (s) dette(s) :   0 $
                                            96 000 $ 96 000 $
    Actif disponible :   54 000 $

b) Frais de subsistance annuels: 70 000 $
    Moins revenus des dépendants:
    • salaire: 40 000 $
    • rente (estimation):   6 000 $
    • revenus de placement
      (basés sur un taux de
      rendement de 8 %):   10 000 $
                                              56 000 $ 56 000 $
    Frais annuels non couverts: 14 000 $

Risques à couvrir: 14 000 $ x 18 ans* = 252 000 $
Besoins d'assurance-vie: 252 000 $ - 54 000 $ = 198 000 $

Cette grille de calcul est fort rudimentaire, j'en conviens. On n'a pas tenu compte des augmentations de valeur avec le temps en raison de l'inflation, de revenus de salaires plus élevés, de revenus ou dettes additionnelles pouvant survenir au cours de ces années ni du coût des études des enfants. Elle se veut un moyen simple et facilement accessible pour établir un ordre de grandeur du montant d'assurance-vie qui pourra être envisagé dans les circonstances. Votre assureur possède certainement des outils plus sophistiqués pour établir un peu plus précisément vos besoins d'assurance en cas de décès.

Retenez également que le montant de protection que vous choisirez peut être modifié avec le temps. Votre situation financière ou familiale pourrait changer et vous devrez alors augmenter ou réduire le montant initialement choisi. C'est tout à fait normal et même souhaitable de réviser de temps à autre ses protections d'assurance.

---

* Ce chiffre représente le nombre d'années à couvrir avant que le plus jeune des enfants atteigne l'âge de 21 ans.

LES TYPES D'ASSURANCES

On peut dire qu'il y a deux grands types d'assurances-vie, soit les assurances temporaires et les assurances permanentes. À l'intérieur de chaque catégorie, on peut retrouver une variété impressionnante de protections. Nous allons cependant nous attarder plus précisément à l'assurance temporaire de base et à deux sortes d'assurances-vie permanentes fort populaires, l'assurance-vie entière et l'assurance-vie universelle.

L'ASSURANCE TEMPORAIRE

Cette dernière offre une protection d'assurance pour une période convenue. On dit qu'il s'agit d'une assurance « pure » en ce sens qu'elle ne contient aucune composante d'épargne ou d'investissement.

Pour un même montant d'assurance il s'agit de celle qui exige les primes les moins élevées. Elle peut être indiquée dans une situation comme celle de l'exemple précédent où l'on souhaite obtenir une protection d'assurance substantielle au moindre coût possible pour couvrir un risque que l'on estime temporaire et que l'on juge inacceptable.

Ce type d'assurance ne comporte aucune valeur de rachat. En conséquence, si le décès n'est pas survenu avant la fin du terme convenu, l'assuré ne reçoit rien.

Par ailleurs, il faut être conscient qu'à chaque renouvellement de terme de la police temporaire, vous devrez subir des hausses de primes. En effet, plus vous avancerez en âge, plus il deviendra coûteux de conserver les mêmes protections.

Personnellement, j'aime bien ce type d'assurance-vie qui répond à des besoins ponctuels et ce, en contrepartie de primes en général fort acceptables lorsqu'on est assez jeune.

Si j'estime avoir besoin de cette protection pendant plusieurs années, j'aurai peut-être intérêt à opter alors pour une police à renouvellement garanti et à primes garanties. J'éviterai ainsi de me voir refuser le renouvellement d'une assurance parce que mon état de santé a changé et je connaîtrai à l'avance l'ampleur des hausses de primes qui auront effet à chaque renouvellement.

L'ASSURANCE-VIE ENTIÈRE

Contrairement à l'assurance temporaire, cette dernière exige le paiement d'une prime qui ne changera pas durant la vie de l'assuré. De plus, elle comporte à la fois de l'assurance pure et une composante « épargne » qu'on appelle « valeur de rachat ».

Il vous est loisible de toucher à ce capital-épargne selon votre convenance. Vous pouvez par exemple résilier votre police et encaisser sa valeur de rachat, ou encore emprunter à même cette valeur des sommes d'argent pour répondre à des besoins particuliers. Il faudra toutefois savoir qu'à ce moment votre protection sera réduite d'un montant équivalent à la somme empruntée jusqu'à parfait remboursement. Enfin, la valeur de rachat accumulée pourra vous permettre d'accroître le montant de protection payable en cas de décès.

L'ASSURANCE-VIE UNIVERSELLE

C'est le mariage parfait entre l'assurance pure et l'investissement. Le preneur détermine le montant de la prime qu'il veut payer. Une partie sert à défrayer le coût de la protection d'assurance-vie désirée et le solde est versé dans un fonds d'investissement choisi par le détenteur de la police.

LE CHOIX DU BÉNÉFICIAIRE

La question du choix du bénéficiaire d'une police d'assurance-vie est souvent lourde de conséquences. On ne peut donc la traiter à la légère. Doit-on désigner sa succession ou une personne en particulier comme bénéficiaire ? Si l'on opte pour la seconde solution, pourrons-nous révoquer la désignation faite ou sommes-nous aux prises avec un choix irréversible ? Ces questions fort peut traitées en pratique méritent qu'on s'y attarde et qu'on examine avec attention les possibilités qui nous sont offertes.

LA SUCCESSION COMME BÉNÉFICIAIRE

On rencontrera assez fréquemment des polices d'assurances-vie dont la protection est libellée payable à la succession ou aux héritiers légaux ou ayants droit. Il pourra même se trouver certaines polices d'assurances-vie dont le bénéficiaire désigné est le liquidateur en sa qualité de représentant de la succession. Peu importe l'expression utilisée, il faudra comprendre que dans tous ces cas le montant de protection sera payable au décès de l'assuré à sa succession, pour être remis ultérieurement aux héritiers.

Dans certaines situations, le fait de laisser un montant d'assurance à une succession peut représenter un inconvénient. En effet, la somme assurée faisant partie de l'actif successoral, les créanciers du défunt pourront réaliser leurs créances contre tous les biens de la succession incluant l'assurance, dans le cas d'une succession déficitaire. Au contraire, lorsque la police désigne nommément un bénéficiaire, le montant de la prestation d'assurance sera totalement exclu de l'actif de la succession et il sera remis directement à son bénéficiaire qui ne pourra être importuné par les créanciers du défunt.

Celui qui a été désigné comme bénéficiaire dans la police d'assurance-vie pourra même, en présence d'une succession déficitaire, renoncer à la succession du défunt tout en conservant la somme assurée. On dit alors que l'assurance ne fait pas partie de la succession.

LE CONJOINT MARIÉ COMME BÉNÉFICIAIRE

Le Code civil du Québec établit que la désignation d'un conjoint marié à titre de bénéficiaire est irrévocable sauf si l'assuré a lui-même prévu qu'elle sera révocable. La conséquence d'une désignation de bénéficiaire irrévocable est importante : l'époux propriétaire de la police ne pourra changer de bénéficiaire ou racheter la police sans le consentement écrit de son conjoint.

Si votre union devait battre de l'aile et que vous deviez obtenir un jugement de séparation de corps, sachez que la désignation de votre conjoint comme bénéficiaire demeurera en force. En effet, la séparation de corps ne dissout pas le mariage. Elle ne fait que suspendre certaines obligations maritales. Cependant, le tribunal pourra décider d'annuler la désignation de bénéficiaire dans certaines circonstances. Par contre, le divorce met fin au mariage et entraîne l'annulation de la désignation du conjoint à titre de bénéficiaire, que cette désignation ait été stipulée révocable ou pas.

LES AUTRES BÉNÉFICIAIRES

Dans le cas où ce n'est pas le conjoint marié qui est le bénéficiaire désigné, la règle de base est à l'inverse : le bénéficiaire est révocable à moins de dispositions contraires dans la police elle-même ou dans un autre écrit qui n'est pas un testament.

LA DÉSIGNATION CONTENUE DANS UN TESTAMENT

Il arrive bien souvent que des individus souhaitent modifier des désignations de bénéficiaire faites au moment de l'adhésion à une assurance-vie au moyen d'une stipulation de leur testament. Dans la mesure où la désignation préalable est révocable, il est tout à fait possible de modifier le choix fait par une disposition testamentaire. Le Code civil du Québec pose toutefois une condition pour que la nouvelle désignation soit valable : le testament devra mentionner la police d'assurance qui est en cause ou, tout au moins, l'intention du testateur devra être manifeste et sans équivoque. J'ajouterai que pour être certain du résultat et pour éviter tout litige, il serait préférable en plus de consigner votre décision dans un écrit qui sera joint à la police et qui constituera un amendement à cette dernière. Pour ce faire, il faut prendre contact avec son intermédiaire en assurance qui dispose des formulaires nécessaires. Rappelez-vous également que le testament constituant un acte qui peut toujours être modifié par son auteur, toute désignation de bénéficiaire qui pourrait s'y trouver est essentiellement révocable et ce, qu'il s'agisse du conjoint ou de toute autre personne.

Sachez enfin que le choix d'un bénéficiaire fait par testament pourra être modifié par une nouvelle désignation ou une révocation qui serait postérieure à sa date de signature. En fait, il en va des désignations de bénéficiaires comme des dispositions testamentaires, les dernières modifications valables sur le plan juridique étant celles qui doivent être retenues.

LE REER «INSAISISSABLE» ET SES BÉNÉFICIAIRES

Il est possible de mettre les actifs détenus dans un REER à l'abri de certains créanciers au moyen du REER dit «protégé» ou «insaisissable». Pour que le régime puisse bénéficier de cette protection, certaines règles stipulées dans le Code civil du Québec, au chapitre des assurances, devront être respectées.

D'abord, il faut qu'à l'échéance du régime l'argent soit versé sous forme de rente à terme fixe. Cette exigence remplie, le contrat pourra être assimilé à un contrat d'assurance-vie et il sera alors soumis aux règles de droit propres aux assurances. De plus, le Code civil du Québec formule quelques exigences additionnelles pour que le REER autogéré puisse être considéré «insaisissable». Ces contraintes au niveau de la désignation des bénéficiaires peuvent se résumer ainsi :

- le bénéficiaire qui doit être nommé lors de l'adhésion peut être révocable, s'il s'agit du conjoint marié, d'un ascendant privilégié (père ou mère) ou d'un descendant (enfant ou petit-enfant);
- dans les autres cas (par exemple un conjoint de fait), il doit être irrévocable.

Si la désignation du bénéficiaire est irrévocable, il sera impossible d'effectuer des retraits, de transférer l'actif du régime ou de nommer un autre bénéficiaire par testament ou autrement, sans le consentement du bénéficiaire désigné. Au contraire, si la désignation est révocable, il sera loisible au détenteur du régime de modifier en tout temps son bénéficiaire en avisant le fiduciaire ou en modifiant son testament.

Enfin, en cas de décès du bénéficiaire, le régime perd immédiatement sa protection d'insaisissabilité. Pour lui redonner son plein effet, il faut donc nommer un nouveau bénéficiaire.

QUESTIONS ET RÉPONSES

QUESTION

Est-ce qu'une condition médicale préexistante à la conclusion d'une police d'assurance-vie peut être invoquée par un assureur pour refuser de verser sa prestation?

RÉPONSE

D'abord, si vous avez déclaré dans la proposition d'assurance la maladie qui vous affecte et si l'assureur n'a pas indiqué expressément dans la police qu'un décès ayant pour origine cette maladie n'est pas couvert, il ne pourra pas réduire ou exclure la garantie qui vous a été offerte. Si vous avez omis de déclarer convenablement votre état de santé dans la proposition et qu'il s'est écoulé plus de deux ans entre le moment où vous avez fait l'acquisition de votre protection d'assurance et celui de votre décès, l'assureur ne pourra refuser de payer. Toutefois, si ce dernier parvient à prouver qu'il y a eu fraude, à la satisfaction d'un tribunal compétent, le bénéfice d'assurance pourra vous être nié.

QUESTION

Qu'arrive-t-il dans le cas où l'assuré et le bénéficiaire décèdent en même temps ou s'il est impossible de déterminer lequel a survécu à l'autre?

RÉPONSE

Le Code civil du Québec nous fournit la solution en stipulant que l'assuré est alors, aux fins de l'assurance, réputé avoir survécu au bénéficiaire. Dans le cas où l'assuré décède sans testament et qu'il ne laisse aucun héritier au degré successible, le bénéficiaire est réputé avoir survécu à l'assuré.

CONSEILS

Examinez votre police

Avant de donner votre aval à l'achat d'une police d'assurance-vie, prenez le temps d'étudier les particularités de la police et comparez les primes exigées par différents assureurs pour des protections similaires. Vous pourrez ainsi réaliser des économies substantielles. Posez des questions et, au besoin, contactez plusieurs intermédiaires avant d'arrêter votre choix.

Nommez un bénéficiaire subsidiaire

Si vous voulez nommer le bénéficiaire qui recevra le produit d'assurance-vie à votre décès, prévoyez un bénéficiaire subrogé pour le cas où celui que vous avez choisi en premier lieu vous prédécédait.

LORSQUE SURVIENT L'INÉVITABLE

« Si je deviens centenaire, je me lèverai chaque matin
pour lire les faire-part nécrologiques des journaux,
si mon nom n'y est pas, je retournerai me coucher. »

PAUL LÉAUTAUD

Viendra un jour où nous serons confrontés à la mort d'un de
nos proches ou à notre propre mort. Au moment où toutes
leurs énergies seront sollicitées pour assumer le deuil, les
survivants se verront alors confrontés à l'obligation de prendre
des décisions difficiles. Et ils seront souvent pressés d'agir.
Pour les soins de dernière maladie, les dons d'organes, les
funérailles, la sépulture et l'inhumation, des choix devront
être faits et le délai de réflexion sera court. C'est pour éviter
d'être vraiment pris au dépourvu et de prendre des décisions
irréfléchies que nous devrions tous anticiper ces situations.
Cela ne vous fera pas mourir et aura le mérite d'éviter à vos
proches des situations angoissantes dont ils pourraient bien se
passer en pareil moment.

LE CONSENTEMENT AUX SOINS

Le Code civil du Québec a consacré à l'article 11 la règle de base en matière de soins de santé :

« Nul ne peut être soumis sans son consentement à des soins, quelle qu'en soit la nature, qu'il s'agisse d'examens, de prélèvements, de traitements ou de toute autre intervention. » Cette règle souffre toutefois d'une exception importante. En effet, en cas d'urgence lorsque la vie de la personne est en danger et qu'il est impossible d'obtenir le consentement requis en temps utile, le personnel médical peut agir sans ce consentement. Cependant, même dans des circonstances aussi graves, on ne pourra pas se passer du consentement règlementaire lorsque les soins sont inusités ou devenus inutiles ou que leurs conséquences pourraient être intolérables pour la personne.

Lorsque l'inaptitude de la personne appelée à donner son consentement a été constatée par l'homologation d'un mandat en cas d'inaptitude ou par une tutelle ou une curatelle, c'est le représentant de la personne inapte qui devra consentir aux soins en lieu et place de la personne malade. Si cette dernière n'est pas ainsi représentée, le personnel médical devra obtenir les consentements requis des personnes désignées par la loi, soit :

- le conjoint marié légalement ;
- à défaut du conjoint marié ou en cas d'incapacité d'agir de celui-ci, un proche parent ;
- à défaut de conjoint marié et de parents, il pourra s'agir d'un conjoint de fait, d'un ami ou d'une personne qui démontre un intérêt particulier pour le malade.

Celui qui est appelé à consentir à des soins devant être prodigués à autrui doit agir dans le seul intérêt de cette personne en tenant compte, dans la mesure du possible, des volontés de cette dernière. Il reviendra à cet intermédiaire de déterminer si les soins proposés seront, à son avis, bénéfiques malgré leurs effets, opportuns dans les circonstances et que les risques associés ne seront pas démesurés par rapport aux bienfaits qu'on peut en espérer.

LE DON D'ORGANES : LA VIE EN HÉRITAGE

ENTRE VIFS

Une personne majeure qui est en mesure de donner son consentement à des soins peut de son propre chef décider d'aliéner de son vivant une partie de son corps en autant que le risque encouru en agissant ainsi ne soit pas hors de proportion par rapport au bienfait que l'on peut en retirer. Lorsque la personne majeure est inapte, le don d'organes ne sera permis qu'avec le consentement de son représentant et du tribunal et qu'en autant que l'organe ou le tissu prélevé puisse être susceptible de régénération et qu'il n'en résulte aucun risque sérieux pour la santé du donateur.

AU DÉCÈS

Toute personne de 14 ans et plus peut faire don de ses organes après sa mort ou laisser son corps à un organisme approprié pour des fins de recherche médicale ou scientifique. Le moyen le plus simple de le faire est encore de remplir l'espace réservé à cette fin au verso de votre carte d'assurance-maladie.

Si vos proches ne peuvent témoigner de directives particulières de votre part à cet égard, le don d'organes pourra être effectué avec le consentement de ceux qui avaient la responsabilité de consentir aux soins pouvant vous être prodigués.

Cependant, comme en matière de soins, le consentement pourra être escamoté lorsque deux médecins attestent par écrit de l'impossibilité d'obtenir le consentement requis en temps utile, de l'urgence de l'intervention et de l'espoir sérieux de sauver une vie humaine ou d'en améliorer sensiblement la qualité.

Enfin, sachez que tout prélèvement sur votre corps ne pourra être effectué qu'après que le décès aura été constaté par deux médecins qui ne sont aucunement impliqués dans l'opération de prélèvement ou de transplantation.

L'AUTOPSIE

Dans certains cas où les circonstances ou les causes d'un décès ne sont pas clairement établies, on peut désirer ou devoir recourir à l'autopsie.

Les cas les plus fréquents sont lorsqu'un proche du défunt désire connaître les causes exactes du décès. Il dépose alors une demande d'autopsie et il aura le droit de recevoir le rapport qui sera émis par la suite.

Un tribunal pourrait également, dans certaines circonstances, ordonner l'autopsie d'un défunt sur demande d'un médecin ou d'un intéressé.

Enfin, le coroner peut, dans les cas prévus par la Loi sur la recherche des causes et des circonstances du décès, ordonner l'autopsie du défunt. Il en sera ainsi lorsque le décès est survenu dans des circonstances violentes ou obscures. Le rapport préparé par le coroner est public et toute personne peut par la suite en obtenir copie.

L'EMBAUMEMENT

Le corps du défunt devra être conservé au moyen de la technique d'«embaumement» lorsqu'on ne peut disposer de la dépouille mortelle dans les 18 heures suivant le décès. Le thanatologue chargé d'effectuer ce travail pourra procéder dès qu'il se sera écoulé six heures après que le constat du décès aura été dressé. Le délai de six heures devra être respecté même lorsque la dépouille mortelle n'est pas exposée et qu'on a prévu inhumer ou incinérer le corps dans les 18 heures suivant le décès.

Le procédé d'embaumement, aussi appelé «thanato-praxie», consiste en fait à vider le corps de ses liquides et de ses gaz et à y injecter une solution de conservation composée de formaldéhyde ou de formol.

L'INHUMATION

La Loi sur la santé publique nous impose de disposer du corps uniquement dans un endroit prévu à cet effet, soit un cimetière ou un crématorium. Pas question donc d'inhumer un corps dans une cour arrière! Par contre, rien ne nous empêche d'y déposer les cendres d'un défunt. En fait, ces dernières peuvent être gardées dans un columbarium ou on peut en disposer à sa guise.

LES ARRANGEMENTS FUNÉRAIRES

Le principal intéressé peut laisser des dispositions écrites ou verbales concernant ses funérailles. Bien souvent, on retrouvera dans le testament de la personne décédée des volontés particulières à cet égard. À défaut de directives émanant du défunt, il faudra s'en remettre aux héritiers ou successibles qui prendront les dispositions nécessaires.

Les options qui nous sont offertes sont maintenant fort nombreuses. En fait, bien des maisons funéraires peuvent accommoder les souhaits particuliers de leurs clients en matière de funérailles. Vous devriez donc pouvoir trouver facilement réponse à vos besoins.

Il est également possible de contracter des préarrangements funéraires. Certains veulent prévoir les services professionnels qui seront requis à leur décès et optent, en conséquence, pour cette formule. D'autres, au contraire, préfèrent laisser à leurs proches la responsabilité de prendre les arrangements nécessaires selon les désirs qu'ils auront exprimés et selon ce qui sera offert par les différentes maisons funéraires au moment du décès.

QUESTIONS ET RÉPONSES

QUESTION

Mon médecin est-il tenu de suivre mes instructions écrites dans un « testament de fin de vie » appelé « testament biologique » ?

RÉPONSE

D'abord, la terminologie courante est inappropriée puisque, de par sa nature, un testament n'a d'effet qu'après le décès de son auteur. Il serait souhaitable que l'on en vienne dans l'avenir à utiliser une autre expression pour décrire ce document dans lequel une personne saine d'esprit exprime ses choix par rapport aux soins qu'elle aimerait recevoir en cas de maladie terminale. L'expression « Directives en matière de soins » aurait davantage de sens.

On peut trouver dans certains CLSC ou dans certains centres hospitaliers des modèles de textes pouvant être utilisés pour établir de telles directives. Votre notaire pourra également vous suggérer une formulation particulière adaptée à vos besoins et il pourra consigner le tout dans un écrit pour vous. Rappelez-vous cependant que ce document n'a, selon l'état actuel du droit au Québec, aucune valeur sur le plan légal bien qu'on puisse lui reconnaître une certaine valeur morale ou indicative qui pourrait simplifier la tâche de ceux qui auront des décisions d'importance à prendre pour vous.

QUESTION

Peut-on utiliser des organes qu'on a prélevés sur mon corps pour des fins de recherche?

RÉPONSE

Oui, à condition que vous ou votre représentant habilité à consentir à des soins pour vous accepte une telle utilisation et que ce soit fait de manière désintéressée, sans aucune contrepartie financière.

CONSEIL

Sauvez des vies

Je pense qu'il n'y a pas de plus beau geste que de donner la vie à quelqu'un ou de sauver d'une mort certaine une personne gravement malade. Le temps est tellement précieux lorsqu'un malade en danger de mort attend le don de vie d'une autre personne que chacun d'entre nous devrait se faire un devoir de remplir la partie réservée au don d'organes au dos de sa carte d'assurance-maladie. Le temps de chercher votre consentement auprès d'un de vos proches ou ailleurs pourrait faire perdre aux autorités médicales des minutes fatales.

LE CHOIX D'UN CONSEILLER :
LES VRAIES QUESTIONS

« Investir sans faire de la recherche, c'est comme
jouer au poker sans jamais regarder son jeu. »

Peter Lynch

Comme vous avez sans doute pu le constater, le monde du
placement évolue à une cadence effrénée. Fini le temps où
l'on pouvait se contenter d'aller à la banque pour faire fructifier ses épargnes. Il suffisait alors de choisir la durée du
placement et l'on ressortait avec un certificat de dépôt garanti
offrant un rendement souvent satisfaisant. Cependant, la conjoncture économique est fort différente de celle qui prévalait
il y a quelques années à peine. Les taux d'intérêt ont chuté
considérablement et ont rejoint un creux jamais atteint
depuis 1950. Au même moment les systèmes économiques se
sont grandement développés et l'on a assisté à l'apparition
d'une vaste gamme de produits financiers pouvant répondre
aux différents besoins des investisseurs.

UN MONDE FINANCIER COMPLEXE, DES OPTIONS DIVERSES

L'industrie des fonds d'investissements a connu un développement fulgurant et le rythme de croissance ne semble pas prêt à ralentir. En fait, il y a maintenant près de 1700 fonds d'investissements offerts par plus d'une centaine de familles de fonds au Canada. La globalisation des marchés permet dorénavant à des épargnants d'ici d'investir un peu partout sur la planète. Les marchés boursiers mondiaux ont connu des heures de gloire au cours des dernières années et de nombreux investisseurs se sont donc tournés vers les titres boursiers ou les fonds mutuels d'actions. Les institutions financières aux prises avec des certificats de placement garanti (CPG) qui ne rapportaient plus ont dû rivaliser d'imagination pour récupérer les épargnants qui délaissaient tranquillement ces véhicules traditionnels. On a donc vu apparaître toute une variété de CPG (à taux flottant, à taux croissant, indexés aux différents indices de marché, etc.) et ce, avec des particularités aptes à semer beaucoup de confusion auprès des épargnants. De nouveaux véhicules de placements ont également été constitués afin de récupérer les épargnes autrefois canalisées vers les titres à revenus fixes. Ainsi, des sociétés en commandite de toutes sortes, fiducies de redevances pétrolières ou d'investissements immobiliers ont été mises sur le marché avec beaucoup de succès. Bref, l'investisseur a maintenant un choix considérable de types de placements qu'il peut se procurer auprès de différents intervenants du monde de la finance.

UNE VÉRITABLE EXPLOSION DE L'INFORMATION

Parallèlement à l'arrivée d'une grande quantité de nouveaux produits financiers, on a pu assister au développement accéléré de l'information en matière de placements et de planification financière. On ne compte plus les livres, journaux, revues, logiciels, émissions de télévision ou de radio qui dispensent une information de qualité sur le monde de l'investissement. N'oublions pas non plus qu'il y a de plus en plus d'internautes qui consultent régulièrement les sites fournissant de l'information sur ces mêmes sujets. La publicité concernant certains produits disponibles se fait également de plus en plus tapageuse surtout en période de REER. Un nouveau vocabulaire fait dorénavant partie de la publicité télévisuelle touchant le monde de la finance. Des termes comme répartition d'actifs, performance de gestionnaires, analyse du style de gestion, du niveau de volatilité et du ratio risque/rendement sont véhiculés par les banques et fonds d'investissements qui aimeraient nous compter parmi leurs clients.

DES CONSEILLERS À PROFUSION

On peut constater aisément que l'arrivée à la retraite de nombreux baby-boomers a créé un besoin grandissant de conseillers financiers de toutes sortes pour répondre aux préoccupations particulières de cette importante partie de la population. C'est ainsi que l'on a vu apparaître ces dernières années une foule d'individus qui se targuent tous de maîtriser le monde de l'investissement. Le métier de planificateur financier, presque inconnu au Québec il y a quelques années à peine, compte maintenant plus de 3000 praticiens. Ces derniers, de niveau académique, de formation et d'origine diverses, estiment être des alliés incontournables pour qui veut prendre une retraite sans souci. Les banques, caisses populaires, sociétés de fiducie, compagnies d'assurance ont voulu recycler ainsi plusieurs de leurs employés afin de répondre aux nouveaux besoins des épargnants et l'Institut québécois de planification financière compte dans ses rangs plusieurs personnes issues de ce milieu. Certaines institutions financières ont même décidé de créer leur propre école de formation en planification financière et en produits d'investissements. Les experts-comptables, notaires, avocats, ne voulant pas être en reste, se sont également intéressés au monde du placement et de la planification fiscale ou successorale. Enfin, le nombre de conseillers en placement au sein des divers courtiers en valeurs mobilières n'a cessé de croître depuis le début de la décennie.

Certains investisseurs s'intéressant au monde de la finance et voulant réaliser des économies se sont tournés récemment vers les courtiers à escompte et les fonds communs d'investissement vendus sans aucuns frais de commission, ni à l'achat ni à la vente. La clientèle de ces derniers a donc considérablement augmenté au cours des dernières années. À la condition de consacrer beaucoup de temps et d'efforts à ses placements, il est certain qu'il est possible de faire de bonnes affaires sans l'aide d'aucun conseiller. Par ailleurs, il s'en trouve plusieurs qui réalisent quelquefois avec amertume que l'on ne peut s'improviser investisseur boursier et qu'il est souvent préférable de compter sur l'expertise et les conseils judicieux d'une personne avisée en matière de placement. Si vous êtes de ceux qui souhaitent recourir bientôt aux services d'un conseiller financier ou si vous êtes déçu du rendement de votre portefeuille de placements, voici les vraies questions que vous devriez vous poser avant de confier vos affaires au premier venu. Après tout, il vaut peut-être la peine de consacrer quelques heures à la recherche de cet expert qui saura vous guider adéquatement dans vos finances personnelles et qui pourra vous permettre d'atteindre rapidement et sûrement l'indépendance financière tant convoitée.

LES VRAIES QUESTIONS

QUELLE EST LA FORMATION ACADÉMIQUE DU CONSEILLER?

Possède-t-il un diplôme universitaire dans un domaine connexe au monde du placement (droit, finances, fiscalité, comptabilité, etc.)? Est-il diplômé de l'Institut québécois de planification financière, de l'Institut des fonds d'investissement du Canada ou de l'Institut canadien des valeurs mobilières? Possède-t-il plutôt un diplôme décerné par l'Institut des banquiers canadiens ou par l'Association canadienne de planification financière? Il n'est pas facile de s'y retrouver mais vous risquez moins de vous tromper en optant pour un conseiller en placement qui possède une formation universitaire, un permis d'exercice de l'Institut canadien des valeurs mobilières et une formation reconnue en planification financière. Cela devrait vous permettre de distinguer ceux qui ont vraiment à cœur les intérêts de leurs clients de ceux qui font ce métier parce qu'on leur a demandé d'assumer ces fonctions dans le cadre de leur travail.

POSSÈDE-T-IL DES COMPÉTENCES PARTICULIÈRES?

Votre conseiller dispose-t-il de compétences particulières en droit, en fiscalité, en planification financière ou successorale?

Quelle est son expérience du domaine du placement ? S'agit-il de son occupation principale ou doit-il au contraire exécuter dans le cadre de son travail d'autres tâches qui n'ont rien à voir avec le monde du placement ? Quels sont ses antécédents ? Peut-il vous fournir des références ?

Avec la nouvelle Loi sur les intermédiaires de marché, il sera possible de rencontrer de plus en plus de professionnels qui cumuleront de solides compétences en placements, en stratégies fiscales et en planification successorale. Ce sera tout à votre avantage, car avec les taux d'imposition que nous connaissons aujourd'hui et avec la complexité de nos lois fiscales, peut-on vraiment se permettre d'investir des sommes d'argent importantes sans tenir compte de l'impact fiscal de nos choix ? Plus encore, la sélection de produits de placement devrait se faire uniquement dans le cadre d'un programme de planification financière élaboré en tenant compte de votre personnalité comme investisseur, de votre situation personnelle, de vos besoins et de vos objectifs.

QUELS PRODUITS PEUT-IL VOUS OFFRIR ?

Optez pour un conseiller en placement qui œuvre pour une firme de courtage en valeurs mobilières de plein exercice si vous voulez avoir accès à la plupart des produits financiers disponibles sur le marché (actions, fonds d'investissements, obligations). Évitez les intermédiaires qui n'offrent qu'une partie de ces produits, comme les courtiers en valeurs mobilières d'exercice restreint ou ceux qui ne vendent que des « produits maison ».

En effet, pourquoi limiteriez-vous votre sélection de produits d'investissement uniquement aux fonds mutuels ? Il y a toute une gamme de produits moins connus qui peuvent se révéler fort intéressants pour le portefeuille de placements de certains clients. Par exemple, les titres hypothécaires garantis par la Société canadienne d'hypothèques et de logement, les coupons détachés ou résidus d'obligations, les parts de redevances ou de sociétés en commandites, les débentures et les bons du trésor constituent des véhicules d'investissement de premier choix pour le portefeuille de plusieurs épargnants. Il importe donc que vous puissiez choisir parmi toutes les possibilités qui vous sont offertes sur le marché et seul le conseiller en placement de plein exercice peut vous offrir une telle gamme de produits.

Évitez également les conseillers qui peuvent se retrouver à l'occasion en position de conflits d'intérêts. Il est bien difficile de recevoir un conseil impartial de la part de celui qui ne peut vous offrir que quelques produits spécialisés qu'il est chargé de vendre. Assurez-vous de toujours confier vos affaires à une personne qui n'a qu'un seul maître : son client.

L'analyse des différents fonds mutuels actuellement disponibles sur le marché canadien nous permet de bien illustrer ce point. Comme nous l'avons vu précédemment, il y a actuellement près de 1700 fonds d'investissements qui sont offerts à l'investisseur canadien par plus de 100 compagnies différentes. C'est donc dire que la plupart des sociétés qui offrent des fonds communs de placement proposent à leurs clients un nombre plus ou moins important de fonds. Par exemple, la compagnie Investissements Plus pourrait très bien offrir à sa clientèle une dizaine de fonds divers : fonds d'actions canadiennes, fonds d'actions américaines, fonds d'actions internationales, fonds d'actions européennes, fonds d'obligations, fonds équilibré, etc.

Or le rendement de chaque fonds étant souvent tributaire du savoir-faire d'un gestionnaire particulier, on peut facilement s'imaginer qu'à l'intérieur d'une même famille de fonds certains peuvent offrir une performance enviable alors que d'autres peuvent générer année après année des rendements pitoyables. On doit donc reconnaître que la plupart des sociétés de fonds d'investissements ont leurs « fonds gagnants » et leurs « fonds perdants ».

Conséquemment, le fait de se limiter à une seule compagnie de fonds d'investissements pour ses placements nous oblige souvent à accepter dans notre portefeuille des fonds affichant une piètre performance, si l'on désire un tant soit peu diversifier ses investissements. L'idéal ne serait-il donc pas de tenter de dénicher quelques fonds gagnants offerts par différentes sociétés d'investissement et de se composer un portefeuille de placements diversifié constitué de fonds divers minutieusement sélectionnés plutôt que de s'adresser à une seule compagnie de fonds mutuels en souhaitant que cette dernière puisse répondre à nos attentes?

Fort heureusement, les conseillers en placement disposent aujourd'hui d'outils informatiques fort sophistiqués pour pouvoir sélectionner les fonds les plus prometteurs. Nous choisissons nos fonds vedettes à partir de certains critères que nous fournissons à l'ordinateur chargé de trier le bon grain de l'ivraie. À titre d'exemple, voici ce que nous recherchons.

Les fonds d'investissements qui ont l'habitude de battre les indices de marché

Nous sommes en mesure de constater qu'en 1997 moins du tiers des fonds communs de placement en actions canadiennes ont réussi à battre l'indice TSE 300. Pourquoi devrions-nous alors payer des frais de gestion de l'ordre de 2 % à un gestionnaire qui est incapable de générer un rendement supérieur à celui du marché?

Les fonds d'investissements les plus performants

Évidemment, les rendements passés ne sont jamais garants de l'avenir. Toutefois, à défaut de posséder une autre mesure plus fiable pour évaluer la performance d'un fonds, nous devons étudier avec beaucoup d'attention ses données historiques pour porter un jugement éclairé sur sa valeur. Nous ne pouvons nous limiter à l'analyse du taux de rendement composé qui peut être élevé simplement parce qu'un fonds a connu à un moment donné une année tout à fait exceptionnelle. L'analyse du rendement annuel simple a le mérite de faire ressortir aisément les fonds qui génèrent des rendements moins constants et qui ont démontré une plus grande vulnérabilité dans les marchés baissiers.

Les fonds les moins volatiles

Parmi un certain nombre de fonds qui investissent dans un même secteur et qui offrent des rendements similaires, nous allons nous attarder davantage sur ceux qui sont moins volatiles, donc plus fiables.

Les fonds qui ont des ratios de dépenses acceptables

Nous allons accorder une attention particulière aux fonds qui réussissent à générer des rendements remarquables tout en maintenant des frais de gestion faibles, car chaque dollar qui est dépensé par le fonds n'est pas disponible pour l'investisseur.

Les fonds qui se distinguent dans leur catégorie

Certains fonds ont le triste record de toujours se classer dans le dernier quartile des fonds de leur catégorie, c'est-à-dire de

faire partie du peloton de queue. Nous allons éviter ces derniers et nous concentrer sur ceux qui se retrouvent régulièrement dans le premier ou le second quartile.

Il est bien évident que la valeur de notre analyse sera
fiable et concluante en autant que nous puissions disposer de
données historiques suffisantes. C'est pour cette raison que
nous accordons peu d'attention aux fonds qui viennent d'être
mis sur pied ou qui ont une durée de vie inférieure à trois
ans. Nous demandons donc aux fonds de faire leurs preuves
avant de mériter notre considération.

Enfin, pour les fonds qui auront passé le test et qui auront
retenu notre attention, il nous faudra pousser plus avant notre
étude. Nous devrons nous demander tout particulièrement
qui est responsable des succès du fonds et vérifier si le
gestionnaire est au poste de commande depuis longtemps.
Nous compléterons notre analyse par une étude des positions
détenues en portefeuille par le fonds et nous nous assurerons
que les objectifs et les stratégies d'investissements adoptés par
ce dernier demeurent les mêmes à travers le temps.

Investir ses épargnes avec succès dans les fonds d'investissements nécessite donc un certain niveau d'implication de
la part de l'investisseur. Il faut se garder de confier ses avoirs
au premier banquier ou à la première compagnie de fonds
rencontrés sur son chemin. La décision de placer de l'argent
dans un fonds mutuel quelconque doit être réfléchie et basée
sur une analyse indépendante de celui qui offre le produit. Si
l'on vous invite à placer votre argent dans un fonds, demandez que l'on justifie le choix qui a été fait pour vous. On
devrait pouvoir vous convaincre, à partir d'une documentation et d'une étude non biaisées, qu'on vous offre un produit financier de qualité répondant à vos besoins, à vos
objectifs et à votre personnalité financière.

QUELLE PROTECTION PEUT-IL VOUS OFFRIR ?

Si vous souhaitez bénéficier de la protection la plus étendue, optez pour un conseiller en placement œuvrant au sein d'une firme de courtage en valeurs mobilières qui est membre d'un organisme d'autoréglementation de l'industrie des valeurs mobilières comme la Bourse de Montréal ou l'Association canadienne des courtiers en valeurs mobilières. Vous bénéficierez alors de la meilleure protection disponible dans ce domaine, soit celle du Fonds canadien de protection des épargnants. Ce dernier protège le public contre les faillites ou l'insolvabilité des courtiers en valeurs mobilières. Il couvre les pertes de titres et de soldes en espèces des clients qui pourraient survenir suite à l'insolvabilité d'un membre. La couverture maximale a été fixée à 500 000 $ pour les comptes non enregistrés et 500 000 $ pour les REER ou les FERR d'une même personne auprès d'un membre (avec un maximum de 60 000 $ pour les espèces au compte du client). Vous pouvez vous-même vérifier auprès du Fonds canadien de protection des épargnants si l'entreprise avec laquelle vous entendez faire des affaires est inscrite comme membre d'un organisme d'autoréglementation reconnu et si elle est assurée par le fonds.

Dans le cas des institutions financières comme les caisses populaires ou les banques, la limite de protection a été fixée à 60 000 $ par banque ou caisse pour toutes les économies dans des comptes d'épargne ou de chèques, les dépôts à terme, les certificats de placement garanti, les débentures et autres obligations. La protection des épargnes est alors fournie par la Régie de l'assurance-dépôts du Québec ou la Société d'assurance-dépôts du Canada, selon le cas. Toutefois, les comptes et dépôts conjoints ainsi que les régimes enregistrés bénéficient d'une protection additionnelle de 60 000 $ en sus de celle couvrant les comptes et dépôts non enregistrés de chaque individu. Pour ce qui est des compagnies d'assurances, c'est la Société canadienne d'indemnisation pour les assurances de personnes qui offre une protection de 60 000 $ pour les valeurs de rachat à l'extérieur de régimes enregistrés ainsi que 60 000 $ pour les REER et les FERR. Cette dernière couvre également les rentes mensuelles (viagères et d'invalidité) sans option de retrait, jusqu'à concurrence de 2000 $ par mois.

Enfin, en ce qui concerne les fonds d'investissements, les épargnes sont conservées en fidéicommis. La faillite d'une société de fonds ne devrait alors avoir aucune influence sur la valeur des placements faits par les individus.

Assurez-vous donc que toutes vos épargnes bénéficieront d'une protection appropriée advenant la déconfiture de l'institution financière, de la compagnie d'assurance ou de placements chargée de détenir vos actifs. Les protections d'assurances doivent être connues par l'investisseur avant de confier ses épargnes à un tiers. Il sera trop tard pour se préoccuper de cette question lorsque le risque se fera menaçant.

COMMENT VOTRE CONSEILLER SERA-T-IL RÉMUNÉRÉ?

Bien souvent les gens croient que les services d'un véritable conseiller en placement de plein exercice sont réservés à une clientèle assez fortunée. Il n'en est rien. Peu importe la taille de votre portefeuille de placements, vous devriez bénéficier grandement de l'expertise professionnelle de ce dernier.

On pense souvent à tort que le recours à un conseiller en placement qui œuvre au sein d'une firme de courtage nécessite l'engagement de frais substantiels. Rien n'est plus faux.

D'abord, on peut facilement demander l'ouverture d'un compte comptant ou d'un compte sur marge pour effectuer des transactions financières. Habituellement, les courtiers en valeurs mobilières n'exigent aucuns frais d'ouverture ou d'administration pour ces comptes. Par ailleurs, les frais pour un compte de régime enregistré (REER, FERR, FRV, CRI, etc.) varient généralement de 75 $ à 150 $ par année. Il faut savoir cependant que la fermeture d'un compte ou le transfert de ce dernier à une autre institution peut être la source de frais qui vont normalement de 100 $ à 150 $. Voilà la liste des principaux frais normalement exigés par les courtiers et que vous devriez connaître avant d'investir.

La rémunération de votre conseiller proviendra essentiellement des commissions qui seront générées par vos placements. Globalement, on peut dire que les commissions les plus usuelles sont les suivantes.

Fonds d'investissements

Habituellement, l'investisseur qui opte pour un fonds vendu avec commissions doit effectuer un choix. Il peut payer une commission à l'achat de ses parts, laquelle variera alors de 1 % à 5 % du montant investi ou, ce qui est davantage populaire, opter pour une commission payable à la vente de ces unités. Cette dernière est habituellement de l'ordre de 6 % et elle est par ailleurs décroissante sur une période de six ou sept années, ce qui signifie que si l'épargnant conserve son placement au moins sept ans, il n'aura aucune commission à payer. La plupart des épargnants envisageant leur achat de fonds communs de placement comme un investissement à long terme, il est facile de comprendre qu'ils puissent préférer massivement la seconde option. Il importe enfin que vous sachiez que certains fonds calculent les frais de commissions payables à la vente des unités à partir de la valeur du placement initial alors que d'autres le font sur la base de la valeur marchande des unités au moment où l'investisseur décide de s'en départir. Une lecture attentive du prospectus disponible pour chacun des fonds offerts sur le marché vous permettra de bien connaître la structure de rémunération rattachée à la vente des parts du fonds.

Actions

La norme dans l'industrie est de charger une commission variant généralement entre 1,5 % et 3 % de la valeur marchande de l'achat ou de la vente de titres boursiers. La commission est calculée à partir de critères comme le nombre d'actions achetées ou vendues et la valeur unitaire de chacune d'elles. Toutefois, les transactions de faible importance sont assujetties à une commission minimale.

Obligations

Les obligations et les coupons ou résidus d'obligations sont normalement vendus sur la base d'un rendement qui est calculé après paiement des commissions usuelles. En conséquence, si votre conseiller vous dit que telle obligation vous rapportera un rendement semestriel de 6 %, sachez que ce rendement est bien celui que votre placement générera et que la commission payable au courtier qui a servi d'intermédiaire a déjà été calculée. Elle n'affectera donc d'aucune manière le rendement qui vous a été annoncé.

Vous pouvez donc aisément constater que le recours à un professionnel pour vous conseiller dans vos placements a un prix mais que ce dernier est vraiment à la portée de tous les investisseurs. Les avantages que vous en tirerez devraient vous convaincre rapidement de la valeur des services qui vous ont été rendus.

Votre conseiller est-il disponible?

Une des principales plaintes formulées par de nombreux investisseurs repose sur le manque de disponibilité de leur conseiller. Malheureusement, cette situation est fréquente en pratique. En effet, plusieurs conseillers, quelquefois victimes de leur succès, se sentent incapables de refuser de nouveaux clients et se voient ainsi rapidement débordés. Ils doivent alors s'adjoindre du personnel de soutien qui peut parfois libérer le conseiller et lui permettre d'être davantage disponible à ses clients. Cependant, il arrive bien souvent que cette réorganisation ne soit pas suffisante et que le conseiller se voit obligé de déléguer davantage à des collaborateurs. Il s'ensuit qu'un investisseur peut être privé du service auquel il est en droit de s'attendre et que la seule solution pour lui soit celle de partir à la recherche d'un nouveau conseiller qui saura lui offrir un service de qualité. Demandez donc à votre conseiller s'il lui sera possible de prendre tous vos appels dans un délai raisonnable. Devrez-vous au contraire discuter de vos affaires avec d'autres membres de son équipe? Vos appels seront-ils constamment « filtrés »?

Dites-vous bien que ce qui importe le plus pour atteindre sans embûche votre indépendance financière est d'identifier le conseiller avec qui vous pourrez bâtir une relation de confiance à long terme. Ce dernier doit posséder toutes les compétences nécessaires pour vous aider à bâtir un portefeuille de placements qui réponde vraiment à vos objectifs financiers et à votre personnalité. Si vous avez le moindre doute concernant son intégrité ou son objectivité, poursuivez votre route et rencontrez d'autres conseillers jusqu'à ce que vous trouviez la perle rare.

N'accordez que peu d'importance à l'institution à laquelle votre conseiller peut être rattaché. Même si cette dernière possède la meilleure équipe de recherche au Canada ou le meilleur service de documentation ou d'information, vous n'en tirerez aucun avantage si votre conseiller ne vous suggère pas les produits appropriés. Même si votre médecin dispose de l'équipement le plus moderne, quels bénéfices en tirerez-vous s'il n'est pas capable de poser le bon diagnostic au départ?

Méfiez-vous du conseiller qui est prêt à vous vendre un produit financier sans d'abord avoir pris connaissance de votre situation financière actuelle et de vos objectifs personnels et sans avoir évalué votre capacité à assumer certains risques. On ne devrait jamais se porter acquéreur d'un placement quelconque sans d'abord avoir établi une stratégie d'investissement appropriée. Certains produits financiers s'adressent à des clientèles ou des situations particulières et les stratégies d'investissement doivent varier selon un ensemble de facteurs.

Bref, recherchez la personne clé qui pourra jouer un rôle de premier plan dans vos finances personnelles aujourd'hui comme demain et qui saura vous proposer en tout temps le produit financier qui vous convient parmi la vaste gamme d'instruments de placement disponibles sur le marché.

CONCLUSION

Nous avons abordé dans cet ouvrage de nombreuses questions qui préoccupent les retraités d'aujourd'hui et peut-être davantage ceux qui planifient leur après-carrière. Nous sommes persuadés que vous tirerez profit des stratégies et suggestions qui y sont exposées.

Nous vous encourageons à vous entourer de professionnels qui pourront vous aider à réaliser vos objectifs actuels et futurs en fonction de vos préoccupations personnelles et financières. Pour y arriver, il vous faudra être capable de départager les compétences de chacun et d'intégrer chaque professionnel à l'endroit opportun du casse-tête de la planification fiscale et successorale.

L'expert en testaments, mandats en cas d'inaptitude et règlement de successions, c'est le notaire. Le spécialiste en investissements de toutes sortes, c'est le conseiller en placement. Les impôts et les stratégies fiscales relèvent du comptable ou du fiscaliste et le courtier d'assurances est maître dans son champ d'intervention. Chacune de ces spécialités évolue à un rythme tel qu'il n'est pas possible de s'improviser expert en plusieurs disciplines. Sachez donc vous assurer que vos conseillers légaux, fiscaux ou financiers possèdent la formation reconnue et l'expertise nécessaire pour vous rendre le service sollicité.

Enfin, si vous souhaitez recevoir des compléments d'information ou me transmettre vos commentaires, opinions ou suggestions, je vous invite à le faire en me contactant par télécopieur au (514) 384-9008 ou par téléphone au (514) 382-0397 pour la région de Montréal ou au 1-888-382-0397 à l'extérieur de cette région. Vous pouvez aussi me rejoindre par courrier électronique à l'adresse suivante : d.lapointe@videotron.ca. Sur demande, il me fera plaisir de vous expédier régulièrement et tout à fait gratuitement notre bulletin «INVESTI$$EMENT-PLU$» traitant de placements divers, stratégies financières et autres questions touchant la planification fiscale et successorale.

ADRESSES UTILES

ASSOCIATION CANADIENNE DES COMPAGNIES D'ASSURANCES DE PERSONNES INC.
Service des renseignements aux consommateurs d'assurances de personnes
1001, boulevard de Maisonneuve Ouest
bureau 630
Montréal, Québec H3A 3C8
Téléphone: (800) 361-8070
Télécopieur: (514) 845-6182
Internet: www.clhia.ca

ASSOCIATION CANADIENNE DES COURTIERS EN VALEURS MOBILIÈRES
1, Place Ville-Marie
bureau 2802
Montréal, Québec H3B 4R4
Téléphone: (514) 878-2854

Télécopieur: (514) 878-3860
ASSOCIATION DES INTERMÉDIAIRES EN ASSURANCES DE PERSONNES DU QUÉBEC
500, rue Sherbrooke Ouest
7e étage
Montréal, Québec H3A 3C6
Téléphone: (800) 361-9989
Télécopieur: (514) 282-2225

BANQUE DU CANADA
1001, rue Levert
Île des Sœurs
Québec H3E 1V4
Téléphone: (800) 388-8991
Télécopieur: (888) 388-4326
Internet: www.bank-banque-canada.ca

BARREAU DU QUÉBEC
Maison du Barreau
445, boulevard Saint-Laurent
Montréal, Québec H2Y 3T8
Téléphone: (800) 361-8495
Télécopieur: (514) 954-3477
Internet: www.barreau.qc.ca

BOURSE DE MONTRÉAL
800, Carré Victoria, 4ᵉ étage
C.P. 61
Montréal, Québec H4Z 1A9
Téléphone: (800) 361-5353
Télécopieur: (514) 871-3565
Internet: www.bdm.org

CHAMBRE DES NOTAIRES
DU QUÉBEC
Tour de la Bourse
800, Place Victoria,
bureau 700
C.P. 162
Montréal, Québec H4Z 1L8
Téléphone: (800) 263-1793
Télécopieur: (514) 879-1923
Internet: www.cdnq.org

COMMISSION DE LA SANTÉ
ET DE LA SÉCURITÉ DU TRAVAIL
Direction régionale de l'Île
de Montréal
1, Complexe Desjardins
Tour du Sud, 34ᵉ étage
Montréal, Québec H5B 1H1
Téléphone: (514) 873-3990

COMMISSION DES VALEURS
MOBILIÈRES DU QUÉBEC
Tour de la Bourse
800, Place Victoria, 17ᵉ étage
C.P. 246
Montréal, Québec H4Z 1G3
Téléphone: (514) 873-5326
Télécopieur: (514) 873-3090

CURATEUR PUBLIC DU QUÉBEC
600, boulevard René-Lévesque
Ouest, bureau 500
Montréal, Québec H3B 4W9
Téléphone: (800) 363-9020
Télécopieur: (514) 873-4972

DIRECTEUR DE L'ÉTAT CIVIL
DU QUÉBEC
2050, rue Bleury, 6ᵉ étage
Montréal, Québec H3A 2J5
Téléphone: (800) 567-3900
Télécopieur: (514) 864-4563

FONDS CANADIEN DE
PROTECTION DES ÉPARGNANTS
200, Bay Street
Toronto, Ontario M5J 2J4
Téléphone: (416) 866-8366
Télécopieur: (416) 360-8441
Internet: www.cipf.ca

INSTITUT CANADIEN DES
VALEURS MOBILIÈRES
1, Place Ville-Marie
bureau 2840
Montréal, Québec H3B 4R4
Téléphone: (514) 878-3591
Télécopieur: (514) 878-2607

INSTITUT DES FONDS
D'INVESTISSEMENT DU CANADA
2000, avenue McGill College
bureau 1500
Montréal, Québec H3A 3H3
Téléphone: (514) 985-7025
Télécopieur: (514) 985-7000
Internet: www.mutfunds.
com/ific

INSTITUT QUÉBÉCOIS DE
PLANIFICATION FINANCIÈRE
4, Place du Commerce
bureau 420
Île des Sœurs
Verdun, Québec H3E 1J4
Téléphone: (800) 640-4050
Télécopieur: (514) 767-2845
Internet: www.iqpf.org

INTERNAL REVENUE SERVICE
950, L'Enfant Plaza SW
CP: IN:D:CS
Washington DC
USA 20024
Téléphone: (202) 874-1460
Télécopieur: (202) 874-5440
Internet: www.irs.ustreas.gov.

OFFICE DE LA PROTECTION
DU CONSOMMATEUR
Village Olympique
5199, rue Sherbrooke Est
Aile A, bureau 3671
Montréal, Québec H1T 3X2
Téléphone: (888) 672-2556
Télécopieur: (514) 864-2399

ORDRE DES ADMINISTRATEURS
AGRÉÉS DU QUÉBEC
680, rue Sherbrooke Ouest
bureau 640
Montréal, Québec H3A 2M7
Téléphone: (800) 465-0880
Télécopieur: (514) 499-0892
Internet: www.adma.qc.ca

ORDRE DES COMPTABLES
AGRÉÉS DU QUÉBEC
680, rue Sherbrooke Ouest
7e étage
Montréal, Québec
H2R 2P3
Téléphone: (800) 363-4688
Télécopieur: (514) 843-8375
Internet: www.ocaq.qc.ca

PLACEMENTS QUÉBEC
333, rue Grande-Allée Est
Québec, Québec G1R 5W3
Téléphone: (800) 463-5229
Télécopieur: (418) 521-6464
Internet: www.placements.qc.
gouv.qc.ca

RÉGIE DE L'ASSURANCE-DÉPÔTS
DU QUÉBEC
800, Place d'Youville
Québec, Québec G1R 4Y5
Téléphone : (800) 463-5662
Télécopieur : (418) 643-3336
Internet : www.igif.gouv.qc.ca

RÉGIE DE L'ASSURANCE-
MALADIE DU QUÉBEC
Service des opérations et de
renseignements aux personnes
assurées
C.P. 6600
Québec, Québec G1K 7T3
Téléphone : (800) 561-9749
Internet : www.ramq.gouv.qc.ca

RÉGIE DES RENTES DU QUÉBEC
Édifice La Tourelle
1055, boulevard René-
Lévesque Est, 4e étage
Montréal, Québec H2L 4S5
Téléphone : (800) 463-5185
Internet : www.rrq.gouv.qc.ca

RÉGIE DU LOGEMENT
Village Olympique
Pyramide Ouest (D)
5199, rue Sherbrooke Est
bureau 2095 (rez-de-chaussée)
Montréal, Québec H1T 3X1
Téléphone : (514) 873-2245
Télécopieur : (514) 864-3633

REGISTRE DES DROITS
PERSONNELS ET RÉELS
MOBILIERS
255, boulevard Crémazie Est
5e étage
Montréal, Québec H2M 2V3
Téléphone : (800) 465-4949
Télécopieur : (514) 864-4867
Internet :
www.rdprm.gouv.qc.ca

REVENU CANADA
305, boulevard René-Lévesque
Ouest
Montréal, Québec H2Z 1A6
Téléphone : (800) 959-7383
SERT : (800) 361-8761
Internet : www.revcan.ca

REVENU QUÉBEC
Complexe Desjardins
C.P. 3000
Succursale Desjardins
Montréal, Québec H5 B 1A4
Téléphone : (800) 267-6299
Internet : www.revenu.
gouv.qc.ca

SOCIÉTÉ D'ASSURANCE-DÉPÔTS
DU CANADA
50, O'Connor, 17ᵉ étage
C.P. 2340 Succursale D
Ottawa, Ontario K1P 5W5
Téléphone : (800) 461-2342
Télécopieur : (618) 996-6095
Internet : www.sadc.ca

SOCIÉTÉ CANADIENNE
D'INDEMNISATION POUR LES
ASSURANCES DE PERSONNES
1001, boulevard de
Maisonneuve Ouest
bureau 630
Montréal, Québec H3A 3C8
Téléphone : (514) 845-6173
Télécopieur : (514) 845-6182
Internet : www.inforamp.
net/~clhia

TABLE DES MATIÈRES

Achevé d'imprimer en octobre 1998
sur les presses de Marc Veilleux,
imprimeur à Boucheville